こちら葛飾区亀有公園前派出所②

こちら葛飾区亀有公園前派出所②

目次

今回の作品は、気の弱い方、虫の嫌いな方、
食事中の方は見るのを御遠慮下さい。
身の毛もよだつ夏の夜の恐怖物語です。

きゃあああああああ

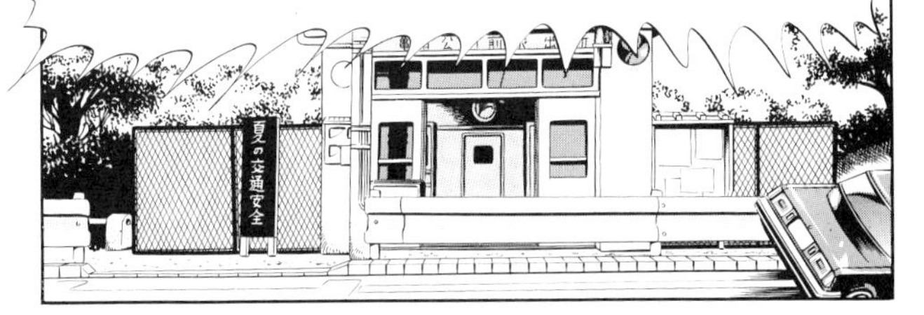

ゴキブリ大行進！の巻

そんなもんで
いちいち
わめくんじゃ
ない

10匹くらい
奥に
かたまって!
なん匹
だろうと
かまわん

このやろう
てめ!
出てくる
んじゃ
ない!

近頃
ゴキブリ
増えたな!
多い
ですね

取ったあと
よく すぐに
食べられ
ますね
気にして
られるか
そんな事!

うちの会社の
薬品開発部では
業者から
研究用の
ゴキブリを
買ってますよ
世の中
いろいろ
ですね!
!?なに

毎日
ゴキブリを
取ってるな!
まったく
無駄な
労力だ!
ズズー

もう少しくわしく教えろ!
え!?

はい必要ですよ
先日は微生物に寄生されて大量のゴキブリを失ったところで…
中川製薬株式会社

100匹くらいのまとまった数なら購入します
直接もってきて下さい!

そりゃあもうさっそく!はい!

大量に失ったと言ってたが…
ゴキブリに寄生して殺してしまう生物がいるとは……
上には上がいるもんだ
カチャ

やったぜ買ってくれるってさ
よかったですね

ゴキブリ駆除の料金をもらってそのゴキブリを売って二重にもうかる!!
わははは
世の中バラ色だな!

よくああいう事に気がつくわ
盲点をついた商売を考えるのは天才だからね

ラーメン ZXR
ラーメン
ラーメン ZXR

おかげで たすかったよ 両さん
また ふえたら 来るよ!

思ったより 生け・・・どりは 難しいな
5件回って たった30匹 しか とれん!

両さん 何それ すず虫?
ん?
ゴキブリ だよ
ぎゃあ

そんなに けぎらい する事は ないのに!
名前きいた だけでも 逃げるな!

きゃあ ああ

そんなもの派出所にもってくるんじゃない!
ただの昆虫じゃないですか! 大ゲサに!
カブト虫と似たようなもんですよ ほら!
全然違う! もってくるな!
カバーをつけて中をみえない様にして下さいよ
ちぇっ わかったよ!

なんです その本!?
買ったんだよ!
100匹集めるまでは生かしとかないとだめだろ!
死んじまったら商品価値ないからな

まず…ゴキブリの習性を覚えよう……か!
あまり覚えたくないけどな
これといって世話をしなくてもゴキブリは自由 気ままに勝手に生きてゆく!
誰かと同じだ

飼育容器の掃除も何もない限り必要なく清潔などまったく考える事はない！
両津の生活と変わらん！

うるさいないちいち！
人が勉強してるのに

本は家に帰ってゆっくり読もう！
なんですかそれ？

ゴキブリの飼育容器を作ってるんだ
ここで飼う気ですか!?

そんな事するな！
ほかで飼ってよ気味悪い！

嫌われ度100%だ！まいったな

ミイミ

暑いな!
今日は10匹しかとれないよ
ジーン
ジーン
両さんもセミとり
え!?
ゴキブリだそれは
きゃああ

なんかだんだん割にあわん気がしてきた
生けどりは大変だし!みんなすぐ逃げるし!
野生のゴキブリはすばしっこくてまいる……
ん?野生!?

そうか!
養殖すりゃいいんだ!

ハイボール
岩崎酒場
岩崎

条件によるがチャバネ対が卵を産み90%羽化したとして……
一年間それをくり返すと一対が一年で二万匹に増える計算になる

やはり思ったとおりだ!
ゴキブリはほっといても勝手に増える!飼育も簡単だ!
ゴキブリ超百科

これだけくれ!
ドン

どうしたんだい両さん
昆虫学者にでもなるのか?
いいからさっさとレジをしろ!

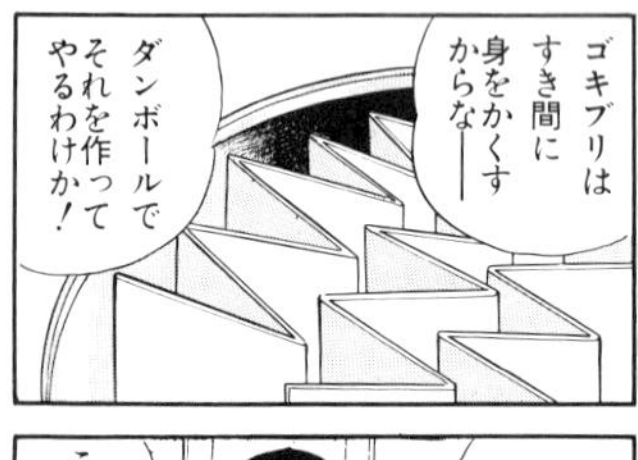
ゴキブリはすき間に身をかくすからな——
ダンボールでそれを作ってやるわけか!

あと木くずや植物も入れとくか!
こうして!

あとは水が絶対に必要だ！
ザー

雑食なので餌はなんでもよい
ペットフードでいいだろ
ガサ
ガサ

よしこれでいい

おいひっこしするぞ
パン
ここがお前らの新居だ！
パン

あっ！こいつ
はい上がってきやがる
ガサ ガサ

そういえば何か書いてあったな！
弱電のバリアかバターをぬるか！
バターでいいか！

やったね落ちるぞ！
ズルッ

あ!!
バサ
バサ
こいつめ!!

逃がさん!

すばしっこいやつだ!
うっかり飛べる事を忘れてた!

両様何してるのですか!?
あ
いや別に
なんでもないよ

漬け物をやろうと思ってね
ははは
まあ
マリアに見つかったら害虫と思って全滅させられそうだな…
場所をうつそう

303号室かい?開いてるよ
よかった!

おもちゃなどおいてちらかしちゃこまるよ!
わかった!わかった!大丈夫!

ここを
飼育室に
使わせて
もらおう

うーむ
おかしいな
2週間も
たつのに
産卵して
いない!

方法が
違うの
かな!
おかしい
な!

あっ
ゴキブリの雌雄の
見わけ方の図
(B)雌
腹
(若虫)
ずんぐりした体で短い翅
(A)雄
腹
(若虫)
細長い体で長い翅
まさか
!?

くわーっ
この中 全部
オスだ
これじゃ
産卵する
はずない!

5割の確立
なのに!
くそ!
メスを
探して
こなきゃ
!
ダッ

交通
夜間押ボタン式
このごろゴキブリへったわね
台所の水回りを完璧になおしたからな!
水や湿気がゴキブリをよぶんだあとは生ゴミ!
清潔にしてればいいわけよ!
水がないとさすがのゴキブリも死んでしまう!

さすがにくわしい!
署ではゴキブリ博士とよばれてます

巷の噂ではゴキブリを養殖してるとか…
なに!

もともとゴキブリと同居してたじゃないかあいつは!
今度は餌をあげて本格的らしいですよ

キョロ
キョロ
よし!
サッ
だれもみてないな!

養殖がばれたらやばいからな!
お前たち新しい水だぞ!どんどん飲みなさい!
チャバネ ゴキブリ
平成3年 8月15日
ワモン
クロ
チャバネ

ペット用の餌ばかりでなくリンゴ ジャガイモニンジンなども与えた方が成長が早い!

バナナやビールに浸した食パンなどもよく食べてるな
基本的に仲間の数が増えるほど繁殖率もいい!
ワモンゴキブリやクロゴキブリよりもチャバネゴキブリは増えるのが早いな!
百匹にまとまったからそろそろ売りどきだな

寮の一室は完全に
ゴキブリ養殖場となり
毎夜 不気味な研究が
行われていた

ポリバケツに
元気のいいのをつめて
薬品会社などに売り歩き
商売も軌道にのつた!

ゴキブリの
繁殖能力?
所

意外に
ハ・エやカ・と
それほど
変わらんのだ
これが!
すごく増える
感じが
しますけどね

4億年前
から住んで
いたり!
たたいても
なかなか
死なないとか
だな…

頑丈な
イメージが
あるから
どんどんすぐ
増える気が
するんだ!
なるほど
!

あと発見した時のインパクトも強いだろ！あいつは！
ハエやカを見て悲鳴をあげるやつはいないけどな
あいつは一度見たら大騒ぎになる

一日3回見たら家中がゴキブリだらけの気がするだろ！
蚊などは3匹いてもどうって事ないものな
それだけ押し出しが強いという事だな
確かに印象深いですね

薬品開発研究所
その後は思ったほど行商の成果はなく需要は頭うちであった
ペットフード
養育費が高い

元々のあきっぽい性格と商品価値がなくなり飼育の熱が急にさめた

そのうち303号室にもだんだん行かなくなった

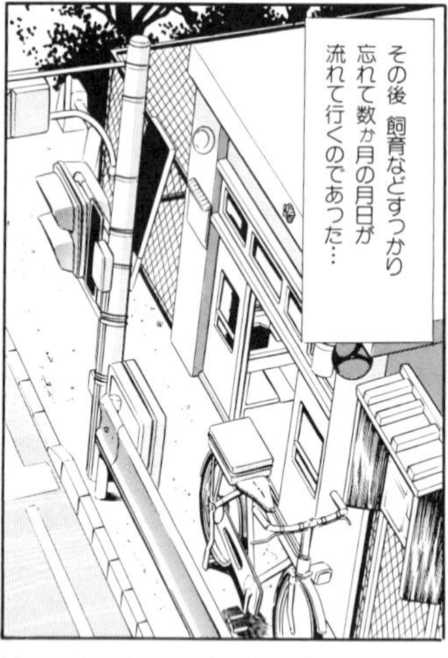
その後 飼育などすっかり
忘れて数ヵ月の月日が
流れて行くのであった…

え？
何!?

近頃 寮に
ゴキブリが
増えたそう
ですよ
あっ
そう

売れないと
知ってから
ゴキブリに
興味なくなった
みたいだな
一時は
目の色かえて
採集に行った
のにね…

採算が合わん
ものをいつまでも
やってられるか
いくら寮に
ゴキブリが
増えたからと
いってだな…

ドキッ

そ そういえば…
303号室の養殖場
かたづけずに
あのままだ…

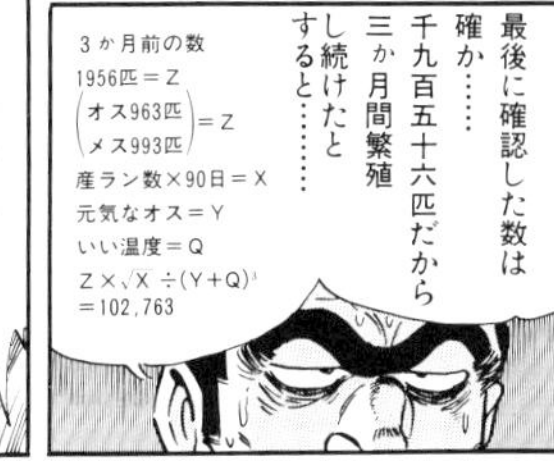
最後に確認した数は確か……千九百五十六匹だから三か月間繁殖し続けたとすると………
3か月前の数
1956匹＝Z
(オス963匹 メス993匹)＝Z
産ラン数×90日＝X
元気なオス＝Y
いい温度＝Q
Z×√X÷(Y＋Q)³
＝102,763

10万匹以上に繁殖!!!!
ぎょえっ!!

どうしたんです急に大声あげて…
いいいや べつに…
びっくりさせないでよ

そういえば先輩が飼っていたゴキブリはどうしたんです？
もももちろん…ちゃんと処分したとも…

増えた原因はじゃあ別か！
はは
全然関係ないよ

ちょっと大切な用事を思い出したから早びきするから
顔色ずいぶん悪いけど大丈夫!?

シヴ〜〜ン

な なんか不気味だ…
ゴクリ…
中を見るのが怖い…

あくまでも計算上の事 けっこう全滅してるかも…
ブーブー

すごい羽音だ!
大量に生きているぞ!

ここは養殖の責任者として確認せねばいかん!
そぉ〜っと中を見て…

カチャ

ブィーン
ブィーン
ブィーン

ドン
むこうがトイレです
はい

両さん どうしたの 汗びっしょり じゃない
ちょ ちょっと やなものを 見ちゃって……
ははは
今度 303号室に 入る高田さんだよ
よろしく 先輩
そ そう 部屋が 決まって よかったね
じゃあ!
わしは 逃げる!
あとは もう 知らん!
ここが あなたの 部屋だよ
はい!
ぎゃあああああ
寮の中を10万匹のゴキブリが大量に 飛びまわる姿はまさに地獄絵図 だったと 体験者は後に語った。

★週刊少年ジャンプ1991年38号

海パン刑事！の巻

昨日の交通事故
死亡 0
負傷 103
ぼくはパカ助
ロボットGメン
本庁のエリート刑事が来るんですか
合同捜査でなベテランの汚野刑事とコンビを組む事になったぞ
葛飾署で一番体力のある者という指名でな即 お前に決まった

勤務ぶりによっては昇進も考えてるらしい
えっ本当

チャンスですね先輩!
試験なしでステップアップできるぞ!

あっ本庁のパトカー
キッ
警視庁
警視庁

先輩きましたよ
ネクタイもキチッとしないと!

公園前の派出所につきました!
警視庁

うむ
タッ

私が汚野刑事だ!
警

なんと!
海パンひとつの姿で…来るとは…

スッ

きゃあ!

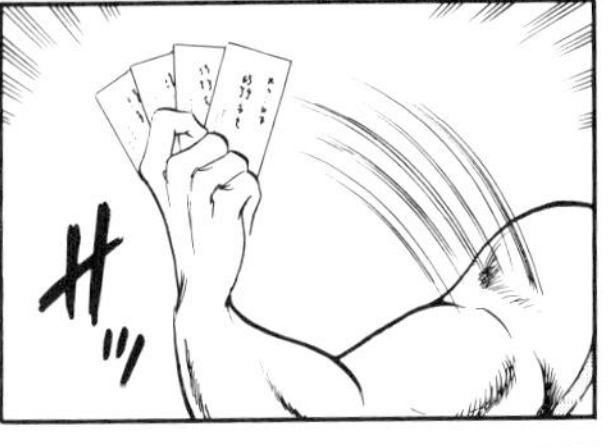
サッ

裏には私のプロフィールが書いてあるよろしくな!
マメだな

本庁では海・パ・ン刑事と呼ばれている私の名刺だ!

びっくりした
何をだすのかと思ったよ！
かわった所からだしますね

なぜパンツ姿なんですか？

まず動きが機敏になる！人間以外の動物はすべて裸だ！これが自然の姿だ！
第二に身を飾らぬ事によって犯人などとも心をわって話合いができるこれが私の信念だ！

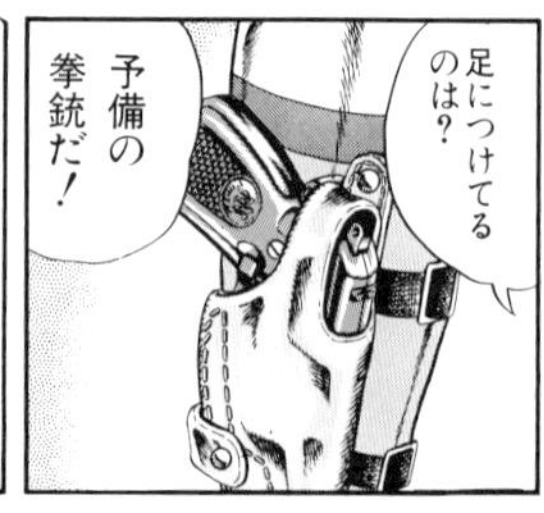
足につけてるのは？
予備の拳銃だ！

普通は隠す為に足につけるわけでしょう
目立ってしまいますよそれでは！

私は隠し事が大キライな性分だ！
意味がない……

ピ

ザッ

きゃあ
あっそんな物を!!

昼食の時間だ！
どこでも時間通り食べる主義だ！
あーーっびっくりした！

ドラえもんのポケットみたいなパンツですね
あそこからだした食べ物は食べる気がしないな
両津はどこにいる
えっ
私ですが！

今すぐ裸になれ
えっ!?

私とコンビを組む以上指示に従え！
わかりました！

なんの因果でこんな目に…
きゃあ
御用
サッ

バカモノ!
ガ
ゴツ
フロに入る気かお前!
パンツははいてろ!
パンツとネクタイが正装の姿だ!よく覚えておけ
正装とはとても思えんな
もっとシリを引きしめろ!
え!?どうやって!?
こうだ!
キュッ

こうですか!
そう
いつもそうしていろ!
キュッ
あら!?
ルロロロロロ
派出所の電話音と違う!?
私の電話だ!
え!?
ルロロロロロ
ザッ
はい汚野です
ふむふむ
今に鳩や万国旗もでてくるぞ!
まさか!

犯人が人質を!
わかったすぐ現場にむかう!
おお
グルグル
はっ!!
クルクル
ヒュッ
むん!
ストッ
両津!行くぞ!
エリート刑事にしては芸達者すぎる!
ダッ

へーくしょん

どうした
両津
クーラーがちょっと強くて！

私のタイツをかそう
ヌッ

冬は実にあったかいぞ
よく愛用している
服を着ればいいのに…

ブロロロ

私立 下町女子高等学校
警視庁

カードダスを5,000枚持ってこい！
人質がどうなってもいいのか！

犯人は無茶苦茶言ってます
うーむ人質さえいなければ

プァン
プァン
あ

汚野刑事だ！
よかった間にあった

キッ
警視庁
警視庁

きゃあ
きゃあ

とうとう
犯人を
追いつめ
ましたね！
汚野くん
きてくれ
たか！
キャー
ザ
シャッ

なんです
あれは
知らん
のか
お前！

あらゆる事件を
かたづけるという
犯人検挙率
100％の刑事さん
だぞ
えっ！
すごい！

状況は
わかりました
あとはまかせて
下さい!
うむ
たのんだ
ぞ!
両津
お前は
初めてだから
これを使え!
えっ
おぼん
あいつら
何か
たくらむ
気か?
行くぞ
両津!
サッ
あっ
うおっ!
きゃあ!!
私は
この通り
無防備だ
私の話を
聞きな
さい

ある所に
おじいさんと
おばあさんが
いたんだ
おじいさんは
山へ
しばかりに…
なんちゅう
説得の
しかただ…
ザッ
ザッ
な なんだ
あいつは
…………
ぶ 不気味で
こわい〜〜〜
今だ!
海パンキック!!
ぐわっ!

ゴールデンクラッシュ!!
ググギッ
ぐえ
ふっ参(まい)ったようだ
お嬢さん!
もう大丈夫だ
ズズ…
おっとうっかりしてた!
ネクタイが曲ってたか!
ははは
私とした事がレディーの前で!
おっ!汚野刑事だ
人質を取りもどした

やった！大成功だ
ワーッ！
わしは一体なんの為に…

わずか5分でかたがついたよ

さすがにエリート刑事ですね
あれだけ意表をつく刑事はどこにもいないからな
緊急指名手配

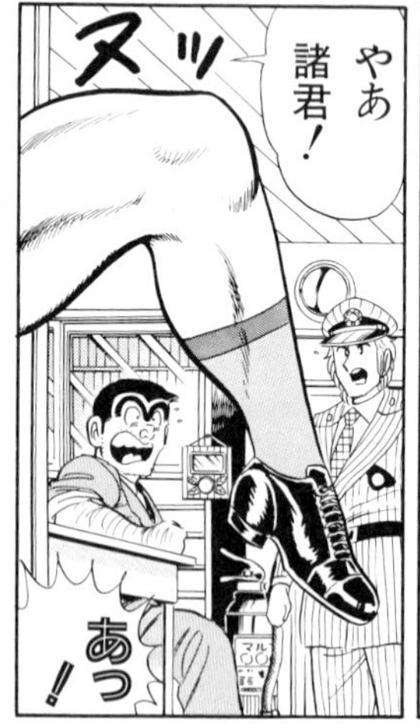
ヌッ
やあ諸君！
あっ！

両津くん おめでとう！
君の功績によって 今日から刑事だぞ！
えっ!?
そんなに功績があったとは思えんが…
すごいですね 先輩！
でもうれしいなあ！
ははは
名付けて……
フルチン刑事だ!!
私と そろいのネクタイを大切な所に結んでくれたまえ！
フルチン刑事の図
どこが刑事なんだよ ただの変態じゃないか！

★週刊少年ジャンプ1991年33号

必勝！C競馬！？の巻

ちくしょう！
全然聞こえん！
ザー
ザー
警視庁で妨害電波が出てるんじゃねえのか！
あと3分で出走だというのに…
君何をしてるのかね？
いや！別に！
サッ

捜査8課 ロボット分室
POLICE

どこかにテレビでも……
ああそこだ!

ドガッ
あっ
警視

テレビはどこだ
神様じゃないですか…

競馬か…相変わらずだ…
全然変わらん

何ですこれ?
一年分の競馬新聞だ

本庁のやつにフロッピーにまとめてもらったんだ一年分のデータを!
なるほどこれを見て予想するわけですか

各馬ゲートイン
おっ始まった

いけよ!ジンザン!
うおお
やれ
わしがついてるぞ勝てよ!
やかましい男だ…

ガシャ
スタート!!

四コーナーまわってジンザン逃げ切れるか!
行けるぞ!よし!
お前なら大丈夫だ!
ワァ

ジンザン一着二着はフグリキャップ
うおお
やったあ!②—④取ったあ!

みろ！②—④ピタリ！さすがだろ！
わはは

2Rはハイエースが頭でタウンエースの③—⑧だ！
そ そうですか？

ぼくはダイシンとサクセスの⑤—④が来るんじゃないかと…

素人のくせに！だまってろまったく
バサ

第四コーナーをまわった！
よし！ここからが勝負だ！

ダイシン逃げ切るか！ハイエース追いつかない！
ワ
なんだと!?

ハイエース！どうした！ダッシュだ！
幻の俊足を見せろ行け！
ワ
ワ

逃げきりました一着ダイシン二着サクセス！
ワ
ほら

なぜ当たったんだ！
素人のお前に！
確率計算をしたんですよ
そこにある新聞のデータをまとめて…
なに

ダイシンは先行逃げきりで今回の距離では15回も3着以内に入ってるし…
出走馬の中では一番安定しているから…
これが出走馬の一年分のデータだ
ガサ
ガサ

じゃあ3R(レース)を予想してみろ！
バサ
85％の確率でキクスイかな！
わははははは!!

しょせんど素人だお前！
キクスイなど最近は連敗続きで来るはずない！

当てられた時には 少しあせったが…単なる偶然か！
ポン
このレースはハヤブサが頭での④－⑤だ！

ハヤブサが来るのは20％です
だまれ！この！ど素人が！

各馬いっせいにスタート
ようし！行け

ハヤブサトップにおどりでました！

すばらしい！いいぞォ！
お前に2万円ぶちこんだからな！

見なさい！お金が5倍になって返ってくる瞬間を！
競馬とはお馬ちゃんが私に金を運んでくれるすばらしいものだ！

先行逃げ切りを得意とするハヤブサの姿が…
おーっと後方から

キクスイが出て来ました！
なに!?

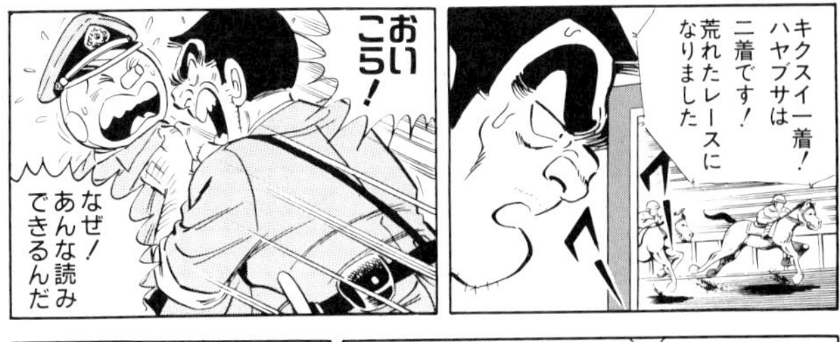
キクスイ一着！
ハヤブサは二着です！
荒れたレースになりました
おいこら！
なぜ！あんな読みできるんだ

ハヤブサは1,600しか走ったことがなく2,200メートルは初めてで左回りでのレースは勝率が低いんです
それに比べてキクスイは短距離続きで負けてたけど…典型的な追い込み馬で長距離を得意とするデータが…

そんな事どこに!?
長距離での追い込みが得意だと

ここにちゃんと
こんな小さい所の記事をよく見つけたな
すべてのデータを入れないと正確に出ないから

押ボタン式
交通
亀有公園前派出所

競馬歴20年の
わしより
ダメ太郎のが
よく当たるんだ
信じがたいよ
ギャンブルは
確率で
動いている面も
ありますからね
そこを
勝負師の勘で
当てるのが
醍醐味なんだが
……
以前は36通り
だったが
一枠一頭制が入り
152通りにもなると
頭では覚え
きれん！
競馬の月刊誌
馬自身
コンピューターで当てる必勝法
〔1枠1頭制〕特集
来週
みんなで
競馬場に
行きませんか
ぼくの馬も
出走します
から
馬主
なのか
！

競馬場は
両津みたいのが
赤エンピツを
はさんでいる
所だろ…
なんと
失礼な！
昔の
イメージ
ですよ
それは
今では
女性も
多いのよ
そ
そうか
！

ダメ太郎くんも
さそって
勝率比べ
してみたら
どうです？
なに！

ワーワー
一着
ダイアン
二着は
ライオネス！

すごいまた当たった！
97%の確率でしたから…今のは！
今の一位がぼくの馬です
先輩2Rともはずれですよ！
中川様これが全Rの出走馬の血統データです
どうもありがとう
新たにデータ入れやがった！ますます確率が高くなる！
なんの！こっちは20年間培った野性の勘があるぞ！
素人は初めのうちは当たるものさ！
わははは
そのうちドカンといたい目を見るぜ
一着ポイントテン
二着メグロアサマ！
わぁ当たった！
ドカンと痛い目みましたよこっちの方が……
どうもとなりに部長がいると勘が鈍る！
なんか後ろからどなられる気がして落ち着かん…

よう
両さん!
おっ
山田か

私服で
来るから
目立たな
かったよ!
ははは
先週は
両さんの
おかげで
10万円も
勝ったよ!

今日は
部長や同僚が
来てるんだ!
あまり
しゃべるな
おっと!
ぶっそうな
場所だな
ここは!

なんだ
それ!
おっ
これか
KEIVER-2000

馬券用の
データ
コンピューター
だよ!
連・単勝の
オッズ※は
もちろん
馬券まで予想
してくれる
んだ!

勝負師が
機械などに
頼るな!
もはや
データの
時代だよ
両さん!

一枠一頭制は
ほとんど
「宝くじ」と同じ
だって!
確率を読ま
ないと…
あっち
行け!
消えろ!

※配当率

わしは野性の
勘で勝負を
する!!
本田 ⑧—⑪
特券で20枚
買って来い!

ワァ
ワァ
ワァ
ワァ
きゃあ
やった!
⑧—⑯よ
ぐ…

やはり脳には
限界がある
このままじゃ
資金も…
続かん…
ん?

こら
本田
どうして
そっちに
つくんだ
だって
こっちの方が
当たるから…

おい!
次は何を
買う気だ!

ずるいわよ
両ちゃん
最後まで
野性の勘で
やると言った
でしょう

わしの
買うのは
すでに
決まって
いる!
ただ
参考までに
聞くだけだ

85%の
可能性で
⑥—⑭ですが
がははは
そんな物
来るか!
今度は
わしの勝ちだな

⑥—⑭
特券で
20枚!

ワァァ
やった
また当たったわ
⑥—⑭よ

す…すごい的中率だ……
今のところ100%じゃねえか…

ばかに両津が静かになったな
おかしいわね!
うっ
ピクッ

ダメ太郎くん次は何を買うのかな!?
次はですね……

ずるいわよ!さっきから人のを聞いて!
ばかものわしはもう決めてある!

あくまでも参考に聞いてるだけだ!
まっ時として偶然一緒になる場合もあるけどな

じゃあ両ちゃんから先に言ってみて
ズギョッ

わ わしは⑪—⑯だ
は・は
あら残念ねこちらは②—⑧よ

おっと うっかり していた
ポン
⑪—⑯は さっきの レースだった
わしも ②—⑧を 予想してたんだよ! いやあ 偶然とは 恐ろしい
なはは
結局 マネしてしまう…

見たろ! こういう男だ! こいつは!
…プライドより 金を選ぶからな!

うるさいなあ! もう!
じゃあ ⑪—⑯で いいですよ

ドドド
やった ②—⑧だ!

すごい 9レース全部的中だ
すごいわ!
またはずれた…

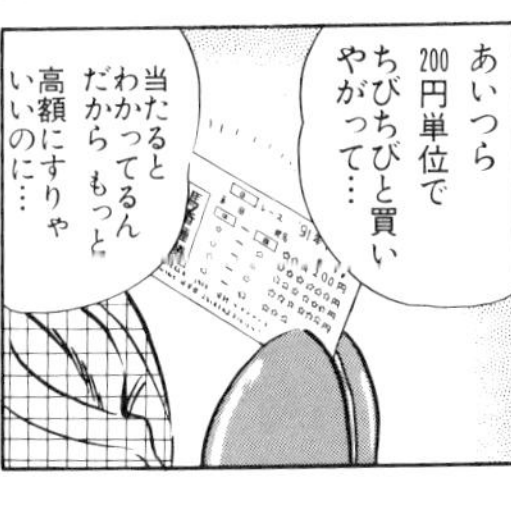
あいつら 200円単位で ちびちびと買いやがって…
当たるとわかってるんだから もっと高額にすりゃいいのに…

あくまで確率ですから
次の最終レース 当てたらパーフェクトだね
そ〜〜
馬

ちょっとかせ!
あ
ひょい
なにマツカゼにスギフジだと
10 発走15.00
大穴じゃねぇか
本当に入るのかよ?
あの…ダメちゃん!
えっ
わしは最終レース自信があるんだけどさ!
君はどのくらい自信ある?
高いですよ98%の確率です
きゅうじゅう…
ダービー
そうか…大変参考になったよ
お互い最終レース全力を尽くして頑張ろうじゃないか
は・はは
何か今の行動あやしいわね
そう言えば後ろからのぞいていたような…
すげ—98%かよォ
もう取ったも同様だぞ!こいつは!!
10R以
35
200円券
連勝式前売所

人気薄だから
オッズも高い
チャンスだ!
くそ!
軍資金が
これっぽっち
か!
出走まで
あと5分か
一世一代の
勝負だ!
ダッ
さわやか
サラ金
10万〜500万円まで無担保
TEL
さわやか サラ金
高額ローン
大歓迎!!
お気軽にどうぞ!
これで
500万円
かせ!
時間が
ない!
早くしろ!
は はい!
返済はお早めに!
馬番連勝
②−④!
500万円!
えっ!
ガヤ
ガヤ
ガヤ
なんだ
両さんか!
②−④は
ムチャすぎる
よ!
ふふふ
ところが全然
ムチャでは
ない!
100%の的中の
コンピューター
が予想したんだ
!
間違いなく
くる!
おばちゃん
競馬も
コンピューター
時代だよ!
今や!

多額だからオッズも変わったろ!
今調べてあげるよ
カチカチ
カチャカチャ
②—④は50倍だね
10R
2
1 52.5
2 41.7
3 47.8
4 50.0
5 42.6
6 53.0
7 44.7
8 55.1
500万×50倍＝
2億5千万円!!
サラ金に500万円返しても2億4千万円以上残る…
一枠一頭ならではの倍率だ…すげえ!!
おい両津!
げっ!
ドキ
馬券いくら買った? 見せてみろ!
ほんのちょっとですよ
それなら見せてみろ!
見せるほどじゃないですよ1,000円程度です
その人500万円もつぎこんでいたよ
なに!
あっこら!
てめぇ! 競馬仲間の風上にもおけないやつだ!
人のプライバシーを勝手にしゃべるな!

どこから そんな金 出たんだ!
見知らぬ 紳士がかして くれたんです 本当です
本日の最終 レースです
各馬 ゲートイン 完了しました
ガシャ
スタート!
行け! 行け! 行け!
98%に かけるぞ
トップは マツカゼ 第一コーナーに かかります
ワァ
いいぞ マツカゼ!!
予想 ピタリだ! 2億に むかって 走れ!
第一コーナーを ぬけ出したのは ハクシカ 続いて マサムネです!
わあ! 出て 来たわ
オー
あっ
ワー

ワ
第四コーナーに
むかい トップは
いぜんハクシカ
続いてマサムネ!
ワ
がんばって――っ
そのまま
逃げ切れ!
ワーワー
一着 ハクシカ!
二着 マサムネ!
⑫―⑮です!
ちなみにビリは
マツカゼと
スギフジです
ワー
やったあ!
⑫―⑮
ピタリだ!
ワーワー
すごいわね
これで
全レース
パーフェクトね
ザヤ
あれ?
先輩が?
ザヤ
ガヤ
ガヤ
カヤ
あいつも
同じのに
賭けた
はずだぞ
ザワ
ザワ
あれ!?
ザワ
ザワ

②—④を勝ってますよ！
そんなバカな！
ダメな馬に○印をつけたのを 勘違いしたらしいですね…
ポケットにサラ金の契約書が…
先輩！
だめだショックで気絶している…
こんなバカほっといて帰ろう
どうやって500万円も返す気かしら
ヒュウウウウウ
バサッ
パタパタ
邪魔だねこの人…
「競馬」とはお馬ちゃんが私に金をはこんでくれるすばらしいものなり
両津勘吉

★週刊少年ジャンプ1991年49号

豪華マンションの
甘い罠！の巻

おはよう
おはよう
ございます

何だ
この手紙は！
寮に来た
1か月分の
ダイレクト
メールの
数です！

1日30通は来ますからね
まるでアイドルの事務所ですよ

いくら再生紙を作ってもこうしてムダに使っては意味がないな
資源と人件費の浪費ですね

銀行カード会社信販 保険ファッション関係……
いろんなジャンルから来てるな…ん!?

この豪華な封書は先輩あてですよ
なに!

「数多くの中より選ばれたあなたへ」だって
よくある手ですね

うそだとはわかっちゃいるけど
なぜかときめくななにかかな!?
わく わく
ビリ

お前みたいに喜ぶやつがいるからDMがへらないんだ!
いちいちうるさいなぁ!

メゾンZ麻布(ぜっとあざぶ)(価格表)

	Room No.	タイプ	価格
	101	3LDK	19億2,850万円(内 消費税2,850万円)
済	102	5LDK	35億1,520万円(内 消費税5,272万円)
	103	3LDK	25億5,537万円(内 消費税3,833万円)
	201	5LDK	39億2,405万円(内 消費税5,886万円)
予	202	4LDK	29億520万円(内 消費税4,357万円)
予	203	4LDK	25億5,537万円(内 消費税3,833万円)

どうして
こんな
パンフレットが
お前に?
あ!
そ
そう言えば
不思議だ
う〜〜む
どう
考えても
お前には
買えんぞ!
おそらく
DMのコンピューターの
入力ミスで
間違って届いたんじゃ
ないですか!
そうとしか
思えん
以前も
小学校入学の
パンフレットが
届きました
からね
お前は
住所録まで
変な使われ方
されてるな
本人を見れば
マンションが
買える人間か
一発でわかる
未確認
ですからね
ちくしょう
ダイレクト
メールめ!
勝手に
人の住所
調べやがって
!!

ただじゃおかんぞ!!
うおおお
どこへ行くんです!
うーーんその…
住所を調べて企業に教えてる会社だよ
たくさんありますよ!
どういうルートで入手されたか送って来た会社に聞かないと
うーーむ全部に聞くのは大変だ!
寮に入ってる人達をよく調べてあるほぼ全員に届いてる!
医師などの高額者リストは貴重ですからね
中には有名私立学校のアルバムが裏で取引きされてる噂まで…
えっアルバムが?
全員の住所が記載されてるでしょう
全員が同年代だから年代にあったD M(ダイレクトメール)がコンスタントに出せますからね
知らずに登録されてるなんておそろしいな……

一人一人が送り主に連絡してストップするしかないですね
それにしても中川っこの価格はひどすぎるぞ
一番安いマンションが19億だぞ!
どこがマンションの値段の下落なんだよ!
下落したと言われるのは一般のマンションですよ
つまり5,000万円を中心とした1億以下の物件です
都心の一等地の価格は驚異的に上がりましたからね
土地代だけで何10億ですから一等地のマンションは一般向きには売りにくいですよ
だから建築技術や防犯設備　ぜいたくな材料を使った技術の集大成のマンションを作るわけです
広さも普通のマンションの5倍以上ありますからね　この場合

浴室
化粧室
居間
(約22.6畳)
食堂
(約20.0畳)
厨房
(約8.3畳)
確かに大きい!わしの家より面積が広い!
本当ですか部長

10億円以上するマンションはマンションとよぶより超高級住宅の集合体と考えた方がいいですね
なるほど…

しかし39億なんてマンションが売れるのかよ!?

さっき言ったように一般向きではないですから
会社などが法人として購入する例が多いと思いますよ

個人でなく会社が買うから税制的にメリットもあるし このまま好景気が続けば……
首都の一等地で資産価値も高いし…

また日本に進出してくる海外企業や麻布では大使館が多いので その関係などで…
需要はかなりあるはずだから…
その価格を払ってでも東京に住む価値があると判断すれば
マンションは売れます!

なるほど外人が買う事もあるのか
部長!

「動く不動産情報」「マイホームの鬼」と言われた部長がなにも知らないなんて!
・・・・・・こういう超高級マンションなど存在すら知らん

お前だって間違って送って来たからわかったんだろうが!
そうか!偶然だ

垣間みた『上流階級の世界』か…
う——む わしらとは次元が全く違う!

済マークが入ってますよ部長!
本当に売れてる
102
5LDK
済
25億
103
3LDK
39億
5LDK
完成はいつですか?
来月か!けっこうきびしいですね

以前なら図面の段階で完売ですよ!だから外にはあまり知られないんです
DMまで出してるところをみると買い手がなかなか……
『上流階級』でも買い控えか

35億円で
㊈というのがすごいな
どんなやつが買ったのか顔を見てやりたいですね
おはよう
すごいハガキね
みんなDMのゴミさ
ダイレクトメール
信じられませんよね
まったく…
あら!?
ん
メゾン乙麻布
これ私が入るマンションよ!
えっ
お前このマンション買ったのか!
うん!先月ね!
メゾン乙麻布

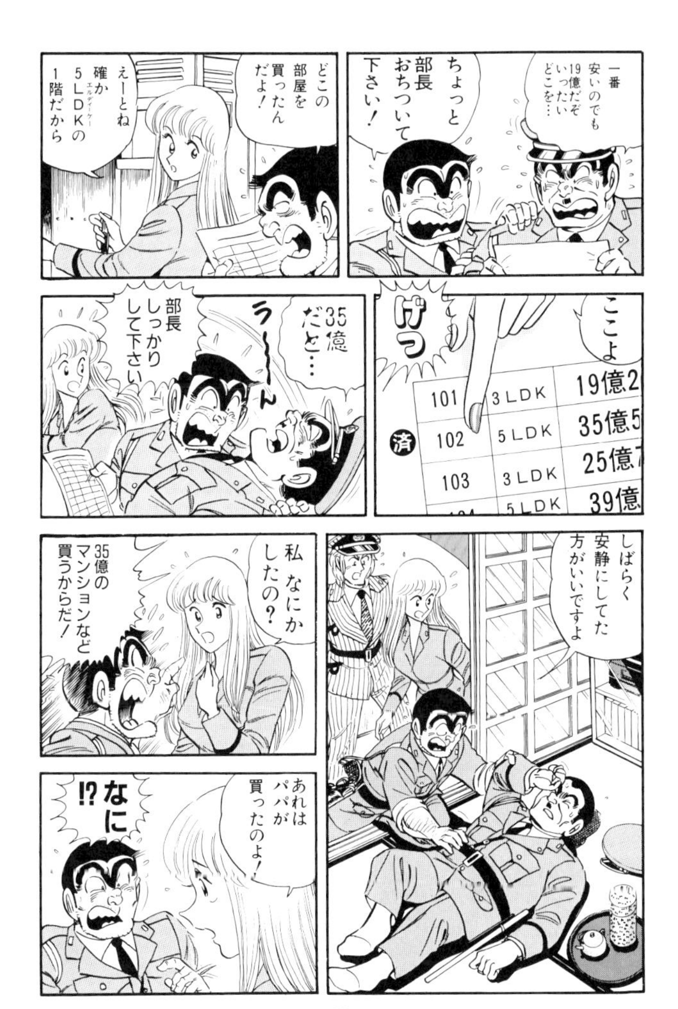
一番安いのでも19億だぞいったいどこを…
ちょっと部長おちついて下さい！
どこの部屋を買ったんだよ！
えーとね確か5LDK(エルディーケー)の1階だから
ここよ
げっ
101 3LDK 19億2
済 102 5LDK 35億5
103 3LDK 25億7
5LDK 39億
35億だと…
ラ～～ん
部長しっかりして下さい
しばらく安静にしてた方がいいですよ
私なにかしたの？
35億のマンションなど買うからだ！
あれはパパが買ったのよ！
なに!?

売り主の絶飛不動産の社長とパパが同級生なのよ
何だと
東京に私が一人暮しをしていると絶飛の社長が聞いていいマンションを作ったからと　話を持って来たの
そうしたらパパが簡単に買っちゃったのよ

私は今の所でいいと言ったのにパパが…
わかったわかった

この㊔ってのは麗子だったとは…
35億のマンションに一人暮しとはどういう身分だ

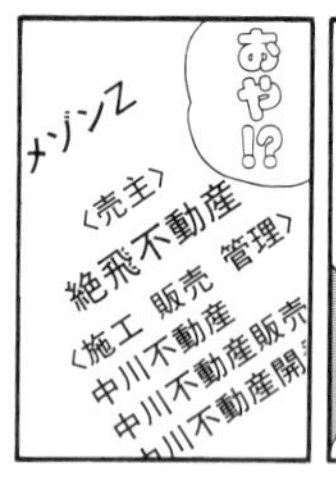
おや!?
メゾンZ
〈売主〉
絶飛不動産
〈施工　販売　管理〉
中川不動産
中川不動産販売

中川不動産って書いてあるぞ…
えっ
メゾンZ麻布

うちの不動産部で建てたのか…
高級マンションの6割はうちがかかわってると聞いてたがメゾンZシリーズもうちだったとは
メゾンZ麻布

どうも　お前らとは生活感が違うな
庶民レベルで話しづらい!

両さん!
ボーー
ドキッ
ぎゃあ

びっくりした!
死にそうな顔していきなり近づくな!
ドキドキ
ごめん!ごめん!

実は部長に相談があるんだけど…
ちょっと待ってろおこしてくるから

家を買い換えて都心に住むわけか!
片道3時間はつらくて
都内は高いけど何とか部長にアドバイスを…
I LOVE YOU

麗子!見たかこれが現実の姿だぞ!
先輩!

当時は2,500万円で買ったんだろあの家!
不動産屋さんに聞いたところ2,800万円で買い取ってくれるそうなので

まだローンが
15年残ってる
ので…
わかった
今すぐ
計算して
みよう！

見ろ！
現実的な
相談だから
部長が
生き生き
して来た！
シャキ
買い換え
の特例で
……
利用し…

2,500
万円くらいの
物件ならば
今までの
ローンの額で
まにあう
何10億の話を
してると
2,500
万円が安く
感じるから
不思議だ！

まてよ
2,500
万円と
言うと…
バサ

一番安い19億円の
消費税よりも
安い…
本当だ！

見ろ！
お前の家
消費税と
変わらんぞ！
先輩
！

寺井さんは
家族をかかえて
必死なんです
から
失礼よ
両ちゃん！

都内で2,500万円までの物件を探しておこう!
よろしくお願いします

寺井このマンションはどうだ3LDKで19億円!
先輩!

バカモノわしは本気だ!

3LDKなら4人家族で十分だ!ここなら署にかようのにも便利だぞ!
値段がとてもムリだよ!

売り主が麗子の知り合いだから融通がきく
返済を長くして200年ローンにしてもらうんだ!
親子6代のローンだ!

200年間もローンを払い続けるのかい?
200年後は我々全員生きちゃいないあとは野となれ山となれだ!

途中で戦争や大地震がおきればローンがチャラになる200年ローンは得だ
ひどい理論だ!

マンションの建物が200年間ももたないわよ!
うーーむやはりムリか!

じゃあ
こうしよう
一家で
土地の安い
外国に移住
するんだ!
アフリカとか…
インドとか…
ムチャ
クチャ
だ!

その
物件も
だめか!
もう
ひと部屋
欲しいの
ですが…

やはり
ムリか…
寺井
喜べ

麗子の
マンション
2,500万円で
売ってくれる
ぞ!
ええ!!

私 青山にも
自宅があるし
よかったら
その価格で…
やったな!
さっそく
みんなで
見に行こう!

踏切注意

ここが居間(リビング)よ
うおっ広い!
ここが浴室(バス)
ここも広い!
ここが和室!
すごい!
ほ本当にいいんですか…
パパには内緒ね!
ラッキーだぞお前!

迷子になってしまうわ広くて
覚えるまでが大変だ
案内図をはっておこう
自宅とは思えない
さすがに豪邸だったな
亀有公園前派出所
35億の家に住めて幸せ者だ!
しかし駅まで遠いな! あのマンションは!
車が足がわりですからね あそこに住む人は!
電車に乗る必要はないですから
寺井も軽自動車があるからマンションの駐車場を借りようとしたら 月30万円と聞いてやめたそうだ
あのメゾンZは特に高いですよ 駐車場の供託金が1台1千万円ですからね
部屋もそうじが大変だから主寝室で生活してるらしい
主寝室が30畳もありますからね 浴室も3つあるし

買い物も
毎日
タクシーで
デパートに
行ってるそうね
あのあたりは
商店街も
コンビニも
ないからな！

防犯監視
システムの
やり方が
わからず
マンションに
入れなくて
外で寝た
事もあると…
メカ音痴
だからな

1階は外人しか
住んでないのよ
ちゃんと
コミュニケーション
とれてる
かしら
うーーむ
前途
多難
だな…

なに！
マンションを
出る!!

管理費 月20万円
修繕積立金 月10万円
警備費 月10万円
専用庭使用料 月5万円
宅配ロッカー使用料 月3万円
など…月に50万円近く
維持費がかかるんです！
ローンより高くて
とても毎月
払い続けられ
ません…
一ヵ月で
かなりやせたな
悲惨なやつ…

★週刊少年ジャンプ1991年28号

イカ釣り船上バトル！
の巻
帰ってきた
伊集院

亀有公園前派

春の旅行は
イカ釣り
ですって!?

旅行は どこも
いっぱいだ
のんびり 釣り船で
一日すごすのも
いいだろ
魚じゃ
なくて
何でイカ・
なんです?

署長の
知り合いの
釣り船でな
署長が土産で
イカが食べたい
からと…
署がスポンサー
だから…
しかたないか…

しかし イカの
シーズンは
少し
すぎましたね
そうなの
か？

シーズンは冬
ですからね
スルメイカなら
まだ
釣れると思い
ますけど
釣りにも
詳しいん
だな

中川は
道楽野郎
ですからね
毎年
海外に行って
釣りなどの
レジャーを
エンジョイして
ますよ
そうだった
な

部長も
釣りを
やってました
よね
イカは
今回が
初めてだ

普通の釣りの
道具しか
ないんだが
大丈夫
ですよ

私はなにも
持って
ませんけど
船でも
貸し出すと
言ってたぞ
僕が用意
しますよ

船上でイカサシで一杯飲めるな！楽しみだ！
気が早いわね
交通安全
葛飾区大百科
かっしか

ひさしぶりの釣りだから新しいウエアを新調せんとな

もったいないですよそれは！
えっ

イカのスミで汚されるんですよ！雨ガッパで十分ですよ！

両津も詳しいな
あたり前じゃないですか！そんな事
相手は魚じゃないんですよ！
110番

イカは　こうしてサオを・・・・しゃくるんですよこれがコツ！

そうだ
こうしましょう

一番多くイカを釣った人はナポレオンが飲める！負けた人が2万円ずつカンパして！
えっ！

実力の差が出ますよ
私は初心者なのよ！

ペナルティがあるからこそ上達するんだ！
少しでもうまくなろうと努力するんだろうが！

のんべんだらりと釣り糸をたらしてちゃ意味ないですよね！部長！
ライバルがいるから強くなるんです！

じゃあ まあそういう事にするか！
よろしい！

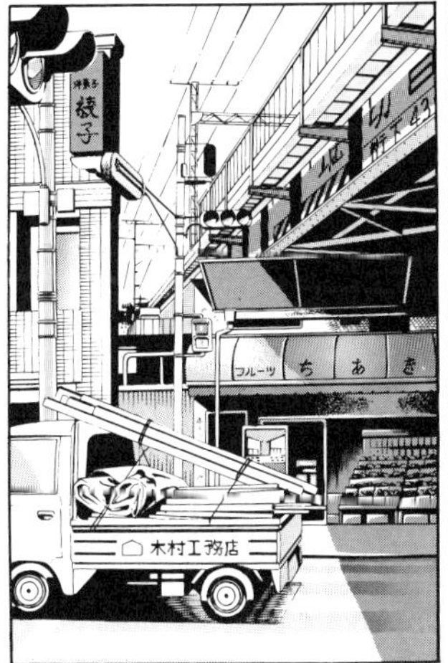
フルーツ ちあき
木村工務店

つり大王
釣具店
釣具店
つり大王
ナポレオンとイカサシがかかってるからな
メジナ釣り大会
第32回
一番にならねばいかん
サオもいい物を選ぼう
つり大王

やあ 両さんまた釣りを始めたのかい?
つりざお
まあね
よし!これに決めた
リールはどこだ?
こっちだよ
うーむどれにするかな

イカを釣るのかい？
ジャカジャカ
ガキの頃以来だからな
エサになにか疑似餌みたいのあったろ
あるよ
FISHIN
スルメイカならこれなんかどうだい
イカ太郎くん
よし！
カッパと道糸で…えーと
全部で3万円でいいよ！
安い！
アジ釣り
1 飯田
2 糊山
じゃあな！
ちょっとお金!!
年末に払うよ！つけといてくれ
うーむこれが不安なんだ…
アジ釣り大会成績表
41.2
36.8
25.7
ぴゅんぴゅん丸

天気も いいし 釣りには 最高だな
用意を するまで 大変ね
これが 成績表だ ひと目でわかる
第一回ナポレオン杯 イカつり大会
中川
麗子
寺井
そんな物まで 用意したん ですか！
あっ部長 電動リール 買ったん ですか？
中川から 借りたんだ
初心者には 使いやすいと 思って
イカの場合 サオを上下に 動かすでしょう
そうだよ エサを 生きてるように 見せるためにな

それを内蔵のコンピューターがやるんです
なに!?

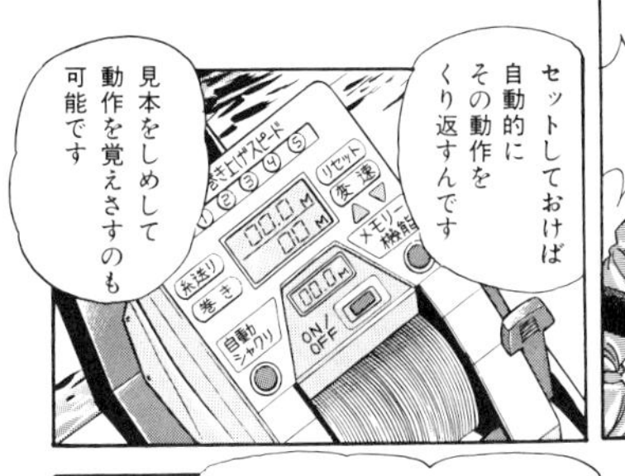
セットしておけば自動的にその動作をくり返すんです
見本をしめして動作を覚えさすのも可能です
リセット
変速
糸送り
巻き
自動シャクリ
ON/OFF

波や船の動きに合わせて自動でリズムも変調します
一番いい状態をコンピューターが探すわけです
①
②
③

もちろん釣れた時も自動まき上げです
引きが強いと糸が切れるので5段のスピードに分けて早く正確にね!

先輩以外の人全員がこの電動リールを使用してます
ずるいぞおまえら
Daiwa

そんな電動パチンコみたいなの使うなんて!
別に電動はいけないと言ってないぞ!
Daiwa

先輩のも用意したのに自分で買うからいいと言ったじゃないですか
う――む確かにそう言ったが……

こうしちゃおれん！
釣りにまでコンピューターが入ってくると思わなかった
早い！
先輩！本気出してますね
さすがになれてるなあいつは！
また来たぞ
早くも8パイ目だ！
いいペースですね

両津がビリだぞ
第一回ナポレオン杯イカつり大会
本田
大原
両津
中川
麗子
寺井
戸塚
くそ
やむをえん!
人数を減らそう
本田くん! 船酔いは大丈夫か!?
ええ! ちょっと…
それはいかん すぐ なおしてあげよう
えっ 本当ですか!
船首で本を読むんだ これでなおる!
はい
ぴゅんぴゅん丸
ユラ
ユラ
ザザ
本田君リタイアです!
ズズ…
まず一人
寺井! 健闘してるじゃないか!
もう7ハイ目だよ
どれ ほう! 大きいな

おーーっと
サメがサオを!
ああ
バシャッ

ひどい
持って
行かれた!
これで
2人

ググッ
こら!
離れろ
お前が
引っかけたん
だろうが!

スポッ
あっ

お前は
ハジの方に
座っとれ!
さっきから
邪魔して
ますよ!
失敬な
全く!

あーあ
もう このサオ
使い物に
ならんね

自分も釣らんと
いかんな
まだ1パイだ！
くそー
全然 当たりが
ない！
グイ
グイ
つかれて
来た！
むこうは
電動だから
楽してるな
キュイーン
クイ
クイ
釣り野郎
Daiwa
おっ
かかった
ピピピッ
Daiwa
ボックスを
持って来て
くれ！
ギュルル
ウイン
ウイン
すごい！
3バイまとめて！
やった！
ダントツ
ですよ
部長
ナポレオンは
いただき
だな
第一回ナポレオン杯イカ釣り大会

君達はきたないぞ!
機械に釣ってもらってそれでは真の釣り人とは言えん!
どんな方法でも数で勝負しようと言ったのは両ちゃんよ!
ズキッ
う
返す言葉がない!くそ!
おっ来た!
ピクン
早く上げた方がいいですよ
うるさい!
5ハイまとめて引くまで待つんだ
来たぞどんどん食いつけ!
ようし豪快に5ハイだ
わははは
ほら糸が切れた!
欲張るからよ!

うるさい!
消えてなくなれてめぇら!

釣りは短気の方が合うはずなんですがね
あいつのは激情型だからな
くそ
こうなれば……
最後の手段だ

そっ

人の釣ったイカをハリにつける
これなら完璧だ

わが軍の味方はお前だ

行け! ノーチラス号
敵をかくらんするんだ
チャポン

なにげなく
元にもどって
ビーーッ
あそこか
もう少し
右か!
ウイ
プッ
ウイイーン
キュル
キュル
ん!?
あっ
糸が!
こっちも
糸が
切れた!
私のも
!?
チュルル

やったぜ!
いっきに5ハイだ!
ザザザッ

5ハイと!
だんだん本調子になって来たぞ
レオン杯イカ釣り大会
本田
大原
両津
中川
麗子
寺井
戸塚

どう思います部長
うーむ偶然にしてはできすぎてる

あっまた糸が!

また私のも!
まるで刃物で切ったようだ!

やったまた5ハイ
ザザァ

両さんいっきにトップ!
がははは
いやあ実力だな
第一回ナポレオン杯イカ釣り大会
キュッ
本田
大原
両津
中川
麗子
寺井
トイレに行くと必ず釣れるんですよ

なにか水の中で動いてるわよ！
ギクッ

ほらあそこ
取ってみよう！

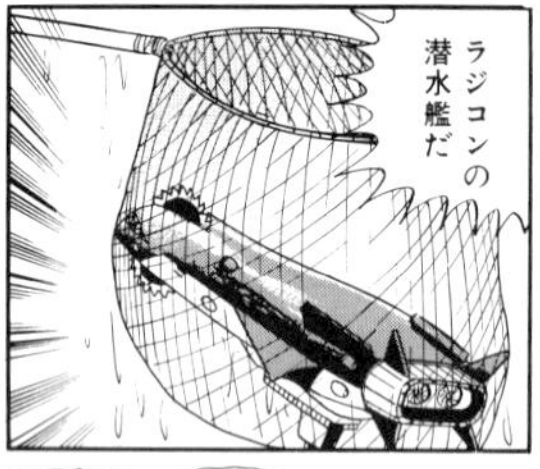
ラジコンの潜水艦だ

先が歯になってますよ
私は知りませんよ
何ですかその目は！

メーカー名や生産国がけずり取られてます
手のこんだ事を…
知ーらないっと！
先輩が釣ったイカ よく見るとキズが無数にありますね
まるで何度も釣りあげたみたい
こら見るんじゃない！

優勝だ！一人2万円で12万円分のナポレオン!!
勝利の美酒はおいしそうだ
祝
両さん優勝
わははははは

祝
さあビデオに撮りなさい
わはは
12・・・万円いっきに飲みほすところを!
ジーッ

ドグラッ
ジャバッ

うわ
おっと!

ドン
ぐわ!!!
ザザザッ

海にナポちゃんを飲ませてしまった!
びえええ
今のまぬけぶりをしっかり撮ったな!いい笑いのネタになる

★週刊少年ジャンプ1991年26号

通信販売大論争!!の巻

押ボタン式
亀有公園

第4コーナー曲がって直線コースに入った！ペルセウス出た！
そのあとをすぐケンタウルスカシオペアと続いたあと200！

ケンタウルスが出たどうだ！逃げ切るか!?ケンタウルスが出た

ケンタウルスがゴールイン続いてペルセウス
ピクッ

やけに今日は静かだな先輩！
きっとはずれて怒ってるんじゃ…

せ
先輩…
お気の毒
でした…
あまり
気を
おとさ
ないで…
御用
とったよ!
30万円
近くな!
えっ
信じられない
いつもなら
机をこわすほど
たたいて狂喜する
はずなのに…
そうよね
ゴール直前は
首に青すじ
たてて
叫びまくる
のに!
それは
今までの
私の姿だろ
これからは
静かに
レースの展開を
見守る事にした
競馬場で
友が目を充血させ
ノドをからし
叫んだが…
見事に負けた
レースを見た…
友のその
悲惨な姿を見て
男として
はずかしい…
実に!

大企業のトップはまゆひとつ動かさず何百億円を動かしておる
野望を内にかくし冷静に勝負する事にした！
ゴルゴ13のようなギャンブラーになる！
10R 30万円のもうけ…と
まっ何にしても静かなのはいいかな
両ちゃんの叫び声で通行人がみんな派出所をのぞくものね！
緊急手配犯人
ハンコお願いします
おう
さすがに早いな
ここに押して下さい
ポン

代金
振り込んで
おいて
下さい
わかった
サンキュー

また
テレフォン
ショッピング
の品物ですか
当たり!!
宅急便

どんどん
増えていき
ますすよ
後で
かたすよ!
ELEKI GUITAR

いろいろ
ありますね
ほんとに
世の中
横着者が
増えたから
な
この顔に
ピンときたら110

毛皮や
ダイヤまで
テレフォン
ショッピングで
安売りしてる
時代だぞ
えっ
本当に!

それが
売れてる
からすごい

宝石の自販機まであるほどだからな! 今にマンションや別荘や会員権などもテレフォンショッピングに出て来るぞ!
高級品がどんどん大衆化してくるからな
なんなんですかそれ!
見て驚くな
これだ!!

10徳メガネだ!

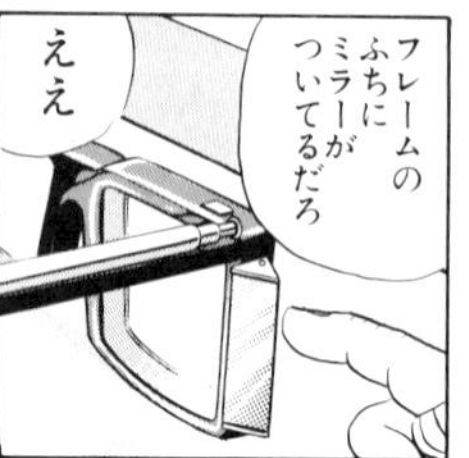
フレームのふちにミラーがついてるだろ
ええ

ふりむかずに後ろが見れるわけだ
後ろ向きでもテレビが見られるというすぐれ物…
そんな事して見なくても…

このスイッチを押すと

ワイパーが動く！
ラーメン食べる時くもってもこれで安心!!

さらにカラースライドがついていて七色のサングラスになる
七色の世界が見えるわけだ

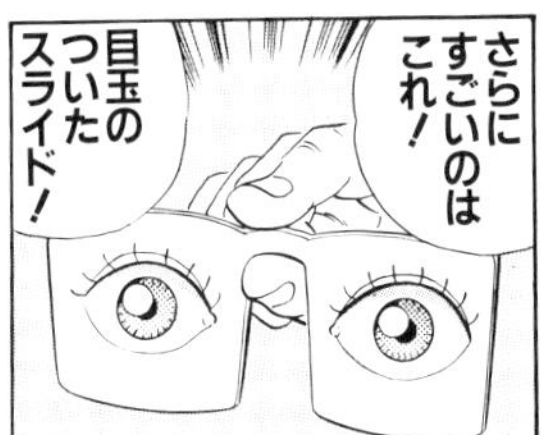
さらにすごいのはこれ！
目玉のついたスライド！

これをつけてれば寝ていても大丈夫
不気味ですね

あと7徳はなんなの？
えーと解説書によると…

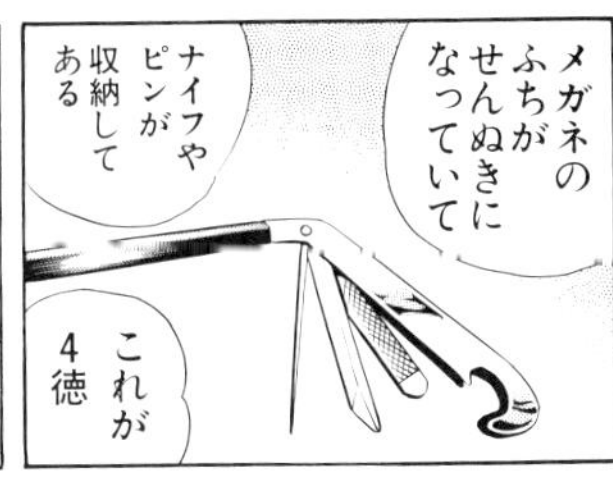
メガネのふちがせんぬきになっていて
ナイフやピンが収納してある
これが4徳

当社開発のテレビゲーム用視力維持装置がついてると…
そんなメカがついてたかな？

おおっ
アンテナ式に ふちがのびた!
スルスル

それにより画面に眼が近付かないので視力に良い……と
なんかサギに近いぞ
コッ

あと2徳は
付属のアタッチメントが2個ついてるらしい

ハナとまゆげをつければクリスマスパーティーのヒーローに…
この2徳はむりやりだな…

やはりこの青い目が最高だ
リアルですね
ハロー

外へ行って通行人を驚かしてくる!
あ!

あいた
ドッ

こら
誰だ！
勝手に
派出所に
入るな

わしだ
ドキッ
げっ
そのハスキー
ボイスは！

ややはり
部長
でしたか
おちゃめな
ところを
見られて
しまった
ははは

どこが
おちゃめだ
！
ギュッ
いててて
てて！

ここにある
ガラクタを
何とかしろ
いてて
何って事
言うんです
RADIO

ちゃんとした
商品ですよ
お前の捨てた
ガラクタ
だろうが！

この最新のハイテクが産んだ品を見て下さい
自動回転座イス！
なんとリモコンで……
ウィイイイン
座席が回転するんです
これなど大ヒット商品のパートII！
ぶらさがり健康機2です！
これは自動で運動ができるのです
昔こんなおもちゃもありましたが

本田スイッチを入れろ！

ほらみなさい！
鉄棒の回転により自動的に体が動くわけです
ウィイイーン
ググ

本人はただじっとしているだけで…
自動的に体が…
ウイイーン
バギャ
はう！

ガチャ
ぬお回転がおかしい
ガチャ
いてて
うおおおあ
ガチャ
ガチャ
止めてくれ～
バカなマネを…

不健康機だろ！これは！
調子が悪いだけですよ！
捨てりゃあいいんでしょ捨てりゃ
だめだ捨てては！

東京のゴミがますます増えるだろうが！
じゃあどうすりゃいいんですか！

必要のないものを買うからこういう事になるんだ！
通販でバカみたいにどんどん買って！

物を買う時はまず本当に必要かよく考えるんだ！
そしてよく調べてよいと思った物だけを買え！

お前みたいに現物も見ず電話一本で物を増やすんじゃない！
邪魔な物がどんどん増えていくだろ！

部長に必要ない物でも私にとって必要なんです
なに！

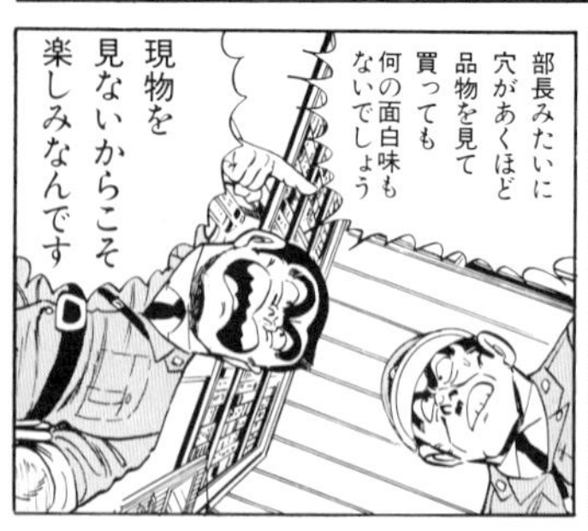
部長みたいに穴があくほど品物を見て買っても何の面白味もないでしょう
現物を見ないからこそ楽しみなんです

小学生の頃
通販やった事
ないでしょう
部長は！
当たり前だ
そんなもの
やらん！

申し込んで
品物が届くまでの
期待と
想像以外の品物が
届いた時の
ショック!!
あの
ドキドキが
部長には
わからないいん
ですか！

宝くじと
一緒なんです！
来るまでが
・・・
楽しみなんです
よ！
品物なんか
二の次なん
ですって！

だから
テレビよりラジオ
ショッピングの方が
面白いんです
どんな物が
届くか
さっぱり
わからない
から！

人生だって
そうですよ
先がわからない
から面白い！
部長みたいに
人生地図片手に
安全にコツコツ
進んでちゃ 全然
つまらない！

落ちたり上がったり
するからこそ
海の底を知り
山の頂上を知る
だから深みのある
人間になるんです
テレビゲームでも
アイテムをどんどん
増やした方がより
強くなるでしょう！

部長など真っ平らな道を歩くだけ!
それも一ミリの狂いもない真っ直ぐな道をただただ歩くだけ!
くだらない!
ソビエトを見なさい! 時代は変わっているんです 私の時代になってきてるんです世界は!
どこがお前の時代だ! お前が国のトップなら経済がマヒして国は崩壊だ
うっ
その場その場の言い逃れでC調に生きてるお前に世界などわかってたまるか!
アメリカの首都も知らんくせに!
う…それは……
お前みたいに調子いいやつがおだてられてナイアガラの滝に飛び込むんだ!
そこで一貫の終わりだお前など!
確かにおだてられると何でもやるからね
この前も鼻でビールを3本飲んでたわよ
うるさい
パトロールにいってくる
はい
言わしておけば
先輩
ガ
ゞ

先輩の負けです
うおおお
通販であそこまで言われてくやし〜

うっかり政治にふれてしまった…
政治経済聞かれるとどう言っていいやらさっぱりわからない
ひぃぃぃぃ…
お届け物です…

マッサージ機が届いてますよ先輩
わしは注文した覚えはないぞ

部長あてですね
お届け先
東京都葛飾区
亀有公園前派出所
大原 大次郎 様
パピプペ電機店
なに部長のか!

自分だってこんな物買いやがって
そういえば肩こりがどうのと言ってましたね

ん!そうだ

本田ちょっと協力しろ
えっ

まずいですよこんな事して!

いいから
早く
しめろ
いいのか
なあ
なに
マッサージ
機が
届いた!
来た!!
早く運べ
ガチャ

おっ
これだ
これだ

一日の
疲れをとり
明日の活力を
産む
金とは
このような
有益な
使い方を
せんといかん

両津のバカは
どうした
あれ?
さっきまで
いたん
ですが

まったく
しょうがない
やつだ
ちょっと
使って
みるか

この中に
いるんだ
よ!
ようし

ん?
ガッ

ぐわ
ガキ
いたたたた
ボキ

そんなに
きくんですか
ちょっと
強すぎる
いたた…
ガギ
ゴキ
バキ
ゴキ
バ
ガツン
ぐわ！

頭突きを
されたぞ
いつつ
そんな機能
あったかな
………
先輩が
入ってるん
です…
あの中に！
なに！

わしの大事な
物を
こわしてまで
しかえし
するとは…
許せん
やつだ
…
ばかに
外が
静かだな
ドスッ
ぐわ

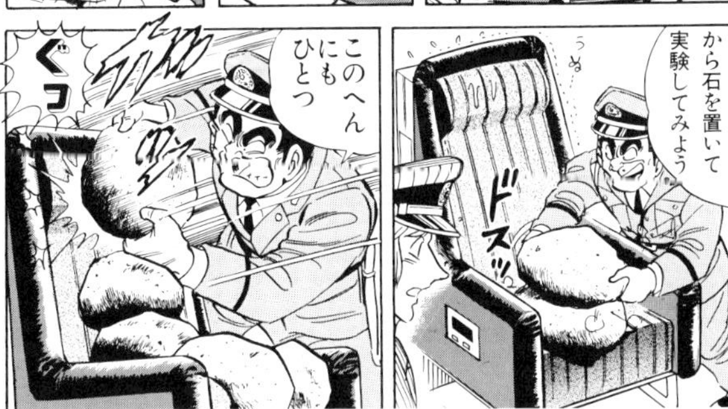
動きが強すぎる
から石を置いて
実験してみよう
うぬ
ドスッ
このへん
にも
ひとつ
ガツ
ぐっ

どうだ
動きが
にぶく
なったろ
にぶすぎ
ますね

お湯を
かけると
動きが
よくなる
はずだ
えっ

ぐ…
くく…
ジュウウ
ほら
動いた
動いた

ちょっと
お尋ね
します

下町部屋には
どう行ったら
いいんですか…
でっかい
おすもう
さんだわ

ちょっと
わかり
づらい所に

調べるのに時間が
かかるから
マッサージ機でも
やって 待ってて
下さい
ぎくっ

ごっつぁんです！
ドスッ
ぐえ

動かないですか？
ギシ
全然動きませんよ

こういう時は電気ショックが一番！

ぐきが
おっ動いた！

中の機械の調子が悪くてねすぐさぼってしまうんですよ
動けこら！
ガツ
ガツ
順番でみんなにやってもらおう
ギシ
ギシ
意地になって出て来ない先輩もすごいが部長の逆襲もすごい…
ギシ
ギシ

★週刊少年ジャンプ1991年43号

巨大フード運動会!?の巻

押ボタン式
交通
亀有公園前派出所
警察官募集中
昨日の交通事故
死亡
負傷
部長が運動会に行っただと!

孫の大介君をビデオカメラで撮るとかで…

うちの系列会社で運動会のP・V・Sを始めていますよ
何!かわりに撮るのかよ!

メカオンチの部長でさえ写せるんだものな日本の技術の進化はすごいよ

仕事で行けないとか上手に撮れるか不安だったりするでしょう
日時・場所と子供の写真があればプロの製作スタッフが現地に行って撮影してくれるんです
タイトルはもちろんB・G・Mやナレーションも入り 30分の完成作品にします
記録ビデオとして最高ですよ
写真館で記念写真撮るのと同じ感覚ってわけか
いいけど…何か味気ない気もするな!
運動会自体も会社のイベンターが企画・進行しますからね
なに!
前日に学校へ行き用意しとくんですよ 司会はもちろん生徒の中にタレントも混ぜて もり上げるんです 雨でもドーム型テントがあるので中止はありません!
それでビデオの撮影もしてくれるのか確かに楽だな

企業の運動会などは賞金がでて豪華で楽しいですよ
ぜひ見たいな
毎日 系列会社で運動会をやってますよ
みんなも行こうぜ

キッ

いつこんなのができたんだ!?
多目的イベントホールですよ

東京で巨大な開発可能地区は湾岸しかありませんから
今に東京湾がなくなっちまうぞ!

それにしても巨大だな!

どこをのぞいてみましょうか
食品会社がいい!

さて続いてのコーナーは!
図針食品の「新製品はこれだ!!」です

初めに図針勇蔵社長のご挨拶です
パパパァ

我が社はカップラーメンからシーモンキーまで…

インスタントの総合メーカーとしてトップを守り続けております
これもすべて私の努力の賜物で…
500インチでのアップは不気味だ…

新製品52種類をみなさんで試食してもらい
底に隠した金銀パールをみなさんにプレゼントします

食欲に自信のある方はぜひ…
すごい太っ腹だな
ガヤガヤ
ねっ豪華でしょう

ようし
わしも
でるぞ!
頑張って!
おつゆまで
飲みほして
下さい!
スタート!
ダッ
ハラが
へってた
ところだ
10個は
いける!
ビッ

金の指輪
いただき!
ガッ
ガッ
ぐばっ!

メンタイ キムチ入り
100倍カレーうどん
です それは!
ゴホ
ゴホ
辛すぎ
だぞ!!
ゴホ

だからこそ
金がある
可能性が
ある!
全部
食べるぞ
ガッ
ガッ
ガッ

なに！
こんなのありか！
塩ラーメンに金の指輪がありました
クク
くそ～

どれが当たりかな？
どろんぱ

よし！これだ！
いくぞ!!

げぼっ
ラーメ

チョコ&コーラ入り生クリームラーメンですよ！
ぺっ
ぺっ
ぺっ
変な物を組み合わせるな!!

続いて新製品の3倍ラーメン
これにはダイヤが沈んでいます
超大盛
3倍
ラーメン

12杯食べた後はきつい！
3倍とは…

ダッ
ようし
奥の手
キャー
キャー
キャー
ワー
ゲゲゲ
ゲゲー
なんと!
これで
元気100倍
ビッグ3
ガッ
ガッ
ガッ
ガッ
やった
本当に
入ってた
はずれなしと
わかったら
全部食べて
やる!
ガッ
ガッ
うぷぷぷ
ぷっ…
ちょっと
タイム…
ガタッ

キャー
ワー
ワァ
なんと
胃をカラに
してます
すごい執念
!
食べた分だけ
自由に出すとは
人間ポンプ
みたいだ…
ガヤガヤ
牛の
胃袋
みたいね

トップは両津さんです!
なんとダイヤを10個も取りました
ワー
ワー
新製品試食してどうでした
辛いとかいろいろありますが…
一番の難関は
…まずい事です
…まずささえ克服すればなんとかなります
し〜ん
しゃ社長ジョークですよ
あ あいつは一体誰だ…
次は新製品を体中で味わってもらおうと特別に用意した
「巨大カップメン」です!
ワー
ワー
5個の新製品を乗りこえてゴールを目指して下さい
激辛
キムチラーメン
ズバリ
図針食品
JAS
標準

トップはなんと100万円のボーナス!!
ここからはペアで出場して下さい
えっぼくが!
50万ずつ山わけしようぜ!

なんと本物のラーメンだ
すっすごい熱さだ
グツ
グツ
グツ

スタート!!
よし行け
あちちちち
うわあち〜

あちち先輩〜〜
あっ本田
バシャ
なるとに掴まれ
ひえ〜あついよ〜〜っ

なんとか塩ラーメンはクリアだ
よし次へ行くぞ
ななんだ!
目が痛い!
なんと!次はキムチラーメン!!
グッ
グッ
白菜の上を素早く渡るんだ
こうやって!!
タッ
あっ
ズボッ
ぬおおからら~い
バッ
大丈夫ですか先輩!
目にしみる!体がヒリヒリするぞ
ピリピリ
すさまじいあらそいになってきました
さきほどの優勝者人を踏み台にして進んで行きます

ようし
あと
ひとつ
ここを
こせば
ゴールだ
納豆
ラーメン
BIG

納豆まで
大きく
作って
あるとは…
ここを
こえるん
ですか？

行くぞ
本田
ひえ
え

うおっ
すごい
ねばり
びえええ
ええ

本田！
スープに
飛び込め！
ザシャ

こうすれば
ねばりが
とれる
ん!?
なんだ

しまった
・・・
とろろだ
身動き
とれま
せ〜〜ん

時間切れ
です
残念でした
あんな
ラーメンが
あるとは・・
納豆
ラーメン
BIG

社長
次の
新製品は！
うむ

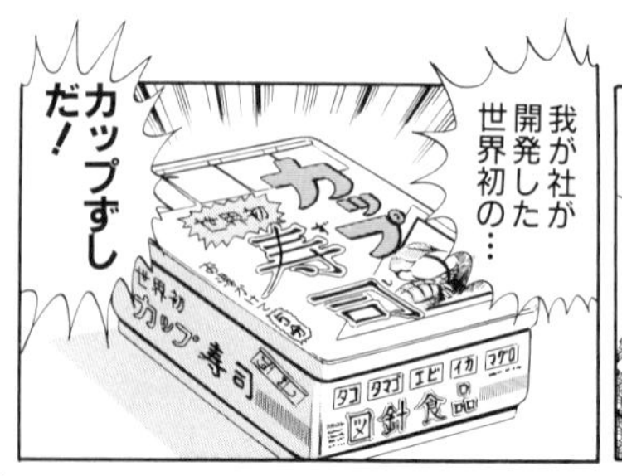
我が社が
開発した
世界初の…
カップずし
だ！
世界初
カップ寿司
タコ
タマゴ
エビ
イカ
マグロ

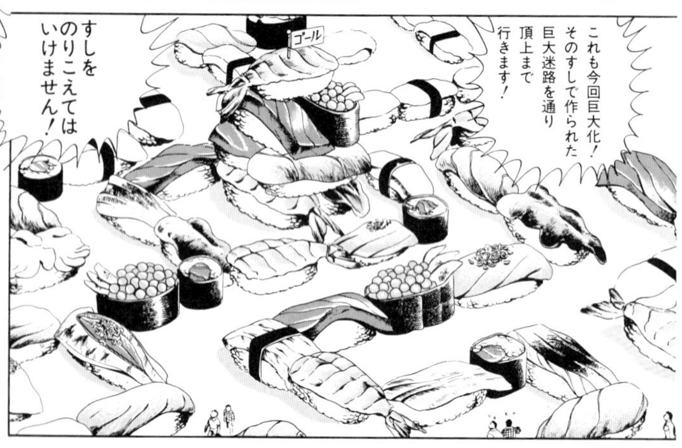
これも今回巨大化！
そのすしで作られた
巨大迷路を通り
頂上まで
行きます！
ゴール
すしを
のりこえては
いけません！

ひとつぶが
おにぎりくらい
ある……全部
本物ですよ
カップで
どうやって
にぎりずしが
できるんだ…
構造が気になる

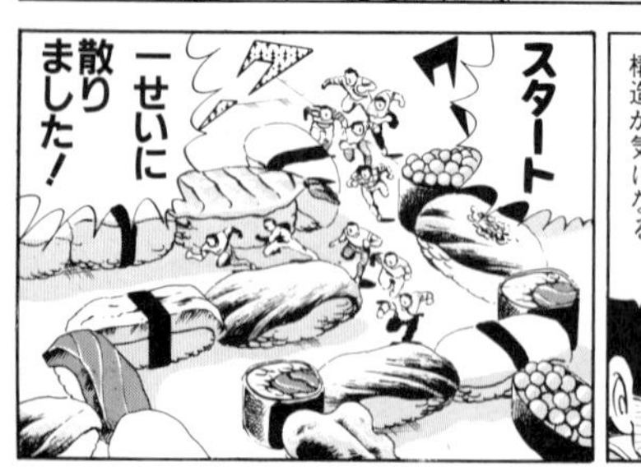
スタート
ワー
一せいに
散り
ました！

くそ!けっこう複雑だぞ!
ガヤ
ガヤ
全然わかりません

タコのむこうにゴールが見えますが
ゴール
ここを直進すれば近いな!

直進だ!!
ガツ

そそんなムチャな
のりこえなければいいんだ!
ボク
ボク
ボク

うわ
ボコッ
よしでた!

なんとすしを食べて直進して行きます
すごいパワー

まるで白アリね!
先輩なら家一件食べてしまうよ

なんだゾロゾロついて来るぞ
みんな近道に集まるんです

貴様ら
ついて
来るな！
うぷ

なんと
ふさが
れた！
残念！

トップ
グループは
すでに
登ってます
あと
3メートル
ゴール

うぬ
くそ！
もう
だめだ

あきら
めるのは
まだ早い

グラ
うわ
うわ

この
スキに
トップだ
卑怯物！
ダッ

ゴール
残念ながら時間切れです！
あっくそ！
いよいよラストのコーナー
これも新製品「おでんの友」
おでんの友
さあトップには100万円です
これも本物だ
本田ラストチャンスだぞ！
とてもむこうまで渡り切れませんよ
まず手前のチクワに飛び乗るそして…ガンモスジコンブ玉子タコへ行く！
なんかよくわかりません！
スタート
ダッ

よし!
本田
うまいぞ
うわ
きゃあ
ツルッ
あちち
ジャッ
玉子と
思ったら
さとイモ
だったか!
ぬかされ
ました
ダッ
くそ!
そうは
させる
か!
ズボッ
でりゃ!
ビュッ
ドスッ
わっ!
グラ
どけ
どけ
わしが
先だ
ドッ
ガッ

この卑怯者！
ゴッ
いて！
100万円は渡さんぞ！
ダダ
ちっくしょう！
お前らにも渡すか！
ガッ
ゴッ
ぐわ
ここでおとなしくしてろ
カチャッ
くそ
残りはこれをくれてやる
うわっ

ぶわっからしだ
ざまぁみろ
ゴホ
ゴホッ

正義は勝つのだ
わははは
先輩らしい・・・展開だ
ゴール
ガヤ
ガヤ
ガヤ
ガヤ

社長
このままでは
またあの男が
トップに!
また何か
言われると
危ない!
中止にしろ

そこまで!!
時間切れ
で――す
ゴール
そんな
バカなな

お前だな
さっきから
よくも…
社長
ドキ

100万円
よこせ
〜〜〜!
こら!
社長に
何をする

貴様ら
ひっこん
でいろ!!

やる事が
きたないぞ!
わしの勝ちだ!
時間切れ
だから
仕方
ないよ!
ねっ

ふざける
な!!
グイッ
あっ

ラーメンまみれに
なって頑張ったん
だぞ!
お前も味わえ
ぐわっ
ドボッ

バカ社長のキムチ漬けを作ってやる!!
ひえー辛い!!
ひええええ
連れてこない方がよかったかな…
ズバリキムチ
なに賞金をくれるだと!?
少し乱暴しすぎたかなと反省してたんだ…
やはり社長だな太っ腹だよ!

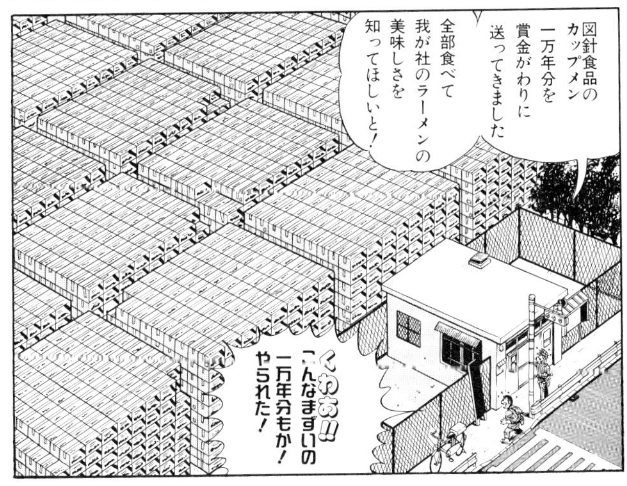

図針食品のカップメン一万年分を賞金がわりに送ってきました
全部食べて我が社のラーメンの美味しさを知ってほしいと!
くわあ!! こんなまずいの一万年分もか! やられた!

★週刊少年ジャンプ1991年41号

音声予約でコンニチハ！の巻

やっほーっ!
キキィ
キッ
またなにか買って来たわよ
ジャーーン見ろ!
世界初のボイス予約のビデオデッキだ!
声でビデオ予約ができるんですか!
その通り面白いだろ!
さっそく試してみよう
新し物好きだからな!

そのリモコンに話すわけですね
世界初
音声予約
その通りバッテリーを入れて…と

コードレス電話みたいですね
いいかやるぞ
ピッ

何曜日デスカ?
あっ

会話式ですか!?
面白そうだろ

木曜!!
木曜だ!

モウ少シ小サイ声デオ願イシマス
ちゃんと注意するんですね!

木曜だよ!

ムカッ
モウ少シ大キナ声デオ願イシマス

なめてんのか!!
先輩!!

せっかく買ったのにこわしちゃダメですよ!
そうよ!短気なんだからもう!

以前 買ったオセロゲームも買った日にたたきつけてこわしたでしょう
そ…そうだった

木曜
ピッ
何時カラデスカ?

午後1時30分

エッ!?
ムカッ

機械のくせに
口答えすんじゃない!
先輩!
バン

そうか しまった!
つい 興奮して!

よかった こわれなくて!
すぐ 行動に出るからな

文字との対話なら気にならんのだが…
無機質なコンピューター音声で言われるとつい!

ちょっと麗子! 入力してみな!
えっ 私が!

ここを押すと話しかけてくる!
何曜日デスカ?
ピッ

んーと じゃあ…
月曜
何時カラデスカ!?
ピッ

午後
7時
チャンネルハ?
1
ピッ
ピッ

そして
転送ね
おっ
ピピピッ
ピッ

簡単
じゃない!
女だと
間違えず
働きやがって!
スケベな
リモコンだ!

女性の声の方が
聞きとり
易いんじゃ
ないですか
うーーむ
センサーにも
得手 不得手が
あるのか!?

だいたい
ひとつで
日本全体を
カバーするのに
ムリがある
どういう
事ですか!

関西には
関西弁バージョンの
リモコンを販売
するとか 九州は
博多弁 熊本弁
長崎弁
また 東北は
津軽弁 山形弁
など……
まぁ ざっと
200種類くらいの
リモコンは用意
して欲しい

なに
力説して
るんだ
あっ
部長!

先輩が
新型ビデオを
買ったんですよ
その
おひろめ会を
やってた
ところでして
…
ムダ遣いの
自慢などするな!
バカを強調
するだけだぞ
すごい
つっこみ
ですね
く…
くそ…

ビデオがこわれたんですか？
御用

ビデオが使えないと不便でこまる
毎日録画してたドラマも観られんのだ
ビデオカタログ

新しいのを買いたいと思うがどれにするか……
そうですねえ…
ビデオ

部長

私のビデオ売ってあげますよ！
えっ!?

出たばかりのニューモデル高性能ビデオデッキ
音声で録画予約ができるすぐれ物です

そりゃあ予約が楽だな
メカが苦手な部長にはピッタリ！

価格が14万円もしましたが4万円でいいです
なに4万円

取りつけの配線もやってあげますよ
いやあそれは助かる!

高く売るならともかく…安く売るなんて…
なにかあるよ…絶対

春の交通安全

ここを閉じれば……
完成と!
パチッ

それボイス予約のリモコンじゃないですか?
ちょっと携帯無線の部品を内蔵してな!

何曜日ですか
何曜日デスカ
あっ？

今の声は!?
音声変更機をつけて機械的な声にしてるんだ

これで部長にしかえしができる
むひひひ
やはり…

これでバッチリ録画 再生できますよ
そうかごくろう

じゃあ 私はこれで!
もう帰るのか!?

もっとゆっくりしていって下さいよ
ちょっと用事がありますので…

夕食を食べて行かんとは両津らしくないな
用意してたのに

ビデオカメラでしっかりと醜態を撮って発表してやる
安く売った分元は しっかりとるぞ!

声で予約ができるんですか?
日本の技術もすごいだろ

試してみよう
まず電源を入れて

よしスイッチが入った

どうしたんです?

手をたたく音が予約のスイッチになってるらしいんだ!
両津がそう言っていた!

そしておじぎを3回…
ペコッ

頭ガ高イデス
えっ!?

見えるのかな!?
ペコペコ
ヨロシイ!

チャンネルと番組名は何ですか!

えーと「1チャンネル」
「シルクロードのすべて」

ソレハダメデス
えっ

本機ハ「オ笑イ」ト「漫画」シカ予約デキマセン
そ…そんな

弱ったな両津はそんな事一言も言ってなかったぞ
オロ
オロ
そうなるとうーーむ観たい番組はひとつもない!

ソレ以外ノ予約モデキル方法ガアリマス
よかった！

マズ服ヲ脱ギマス
ソシテ踊ッテ下サイ

はい服を脱ぎました！
踊りましたよ！

嘘ヲツクナ!!
踊ル振動デスグワカル

おかしいなどうして行動がわかるんだ？
ハイイイデスヨ！
ドス
ドス

今度ハパンツモ脱ギナサイ！
何だって

絶対これはおかしいぞ
予約ガデキマセンヨ！

ん!?

早くパンツを脱ぎなさい
裸踊りを100インチで放映してやるぞ!むふふふ

あれっ部長が消えた?
ん?

げっ部長!

帰る途中道に迷ってしまって…ついまたここへ…
そうか偶然だね

丁度剣道の相手が欲しかったところだちょっと来なさい
グイ
あの!もう失礼しますから!
すぐ帰ります

危なくこのバカの手にかかるところだった
猿知恵とはいえ足りないなりによく考えるものだ!

仕事はできないくせに手先は器用だから余計こまる！
仕事以外に脳を使うんじゃない！ただでさえ少ないいんだから！
コッ コッ
くく…
くく…くやしい！くそ！
先輩が悪いんですよ
部長の好きな小津安二郎のビデオを買いましたよ
なに！買ったか！
ぜひ今度かしてくれんか
よしチャンスだ
ニッ
エレキ電気
スイッチパネルを偽装にしてオートローディングで再生になれば止められんだろ
テレビもスイッチをオンのみにする！
バッテリーも大容量の物を使えばかなりもつ！
なるほどこれなら改造も簡単だ

ちゃんと元の通りにしろ
気づかれるなよ！

早くしろ人が来た！
コツコツ
よしOK

よし逃げろ
ダッ

物音がしてたようだったけど……

よしすり替え成功！
ブオオオ
両さんいいのかいあんな事して！

これです
いやあ どうも ありがとう

今夜さっそく観るよ
は…はい

ブロロロロ…

よくやった君の任務は終了だ
ポン
いったいどんな事したんだろう…

映画ですか?
部下から借りて来たんだ

カチャッ

ウイイイイン

部長 こんばんは!!
パッ
うわっ
バカだアホだとなじってくれてありがとう! 今夜はそのお礼です!
あいつめ こんな手の こんだ事を
ムダですよ
どのスイッチも無反応です
パチ パチ パチ
テレビのスイッチをけしても消えませんよ
あきらめなさい
パチ パチ
そうかコンセントだ!
ガバッ
むふふ
ドキ
今度はコンセントをぬく行動に出たでしょう!?
ムダです ビデオ・テレビともバッテリーを内蔵しているからコンセントが切れたとたん内部の電源に切り替わります
バックアップ機能ってやつです
むふふふ

部長が私の行動を
知りつくしてるごとく
私も部長の行動は
手に取るように
わかります
わははははは
何て
やつだ
……
一時間ごとに
音量はだんだん
大きくなり8時間後の
真夜中には 音が
MAX(最大)になるという
すばらしさ!
わははは
うぬっ
くくく…
これから8時間に
わたって
「報道特別番組」
「とびきり
おげれつ大全集
下ネタ・下品
大集合」を
お送りします…
とびきりおげれつ大全集
下ネタ・下品大集合
なお
このテープは
自動的に
消滅するので
よろしく!

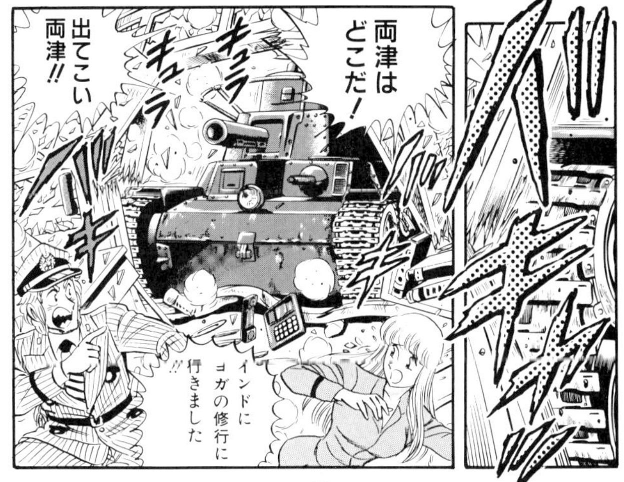
バキ
両津は
どこだ!
出てこい
両津!!
キュラ
キュラ
バキ
インドに
ヨガの修行に
行きました
!!

★週刊少年ジャンプ1991年21·22合併号

パワーボートレースの巻(前編)

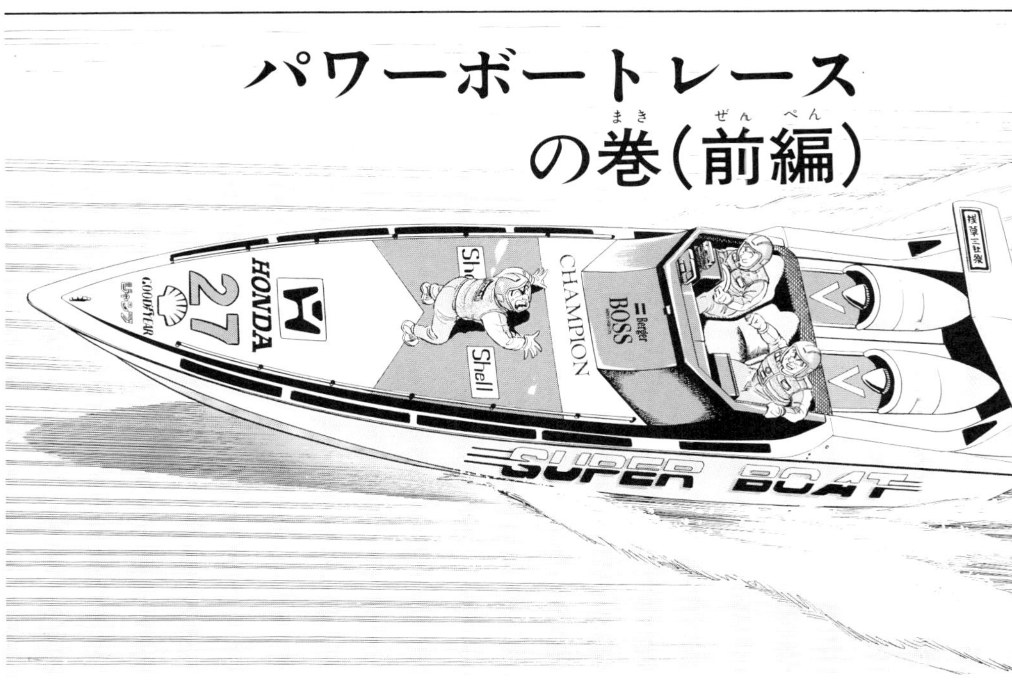

なんだ
これは?
パワー
ボート
ですよ

また くだらん
おもちゃを
買ってきた
のか?
自分が
デザインした
ボートです
それは!

レースに
出場する為
私自ら
設計した
ものです
レース
だと?

海の・・・
F1と
言われる
パワーボートレース
知らないん
ですか?
フェラーリや
ランボルギーニの
エンジンをつんで
快速で走る
有名なレース
ですよ

船を造る金などどこにあるんだ！
中川の会社がスポンサーなんです私がデザインを担当したんです！
マイアミで開催される「パワーボートレース」の事じゃないの！
そうだよよく知ってるな!?

今年はうちの会社もオフィシャルスポンサーになっているから私も行くのよ
なに!?
せっかくの夏休みを邪魔しに来る気か！まったく
ガロロロ
キキッ
先輩おまちどうさま！

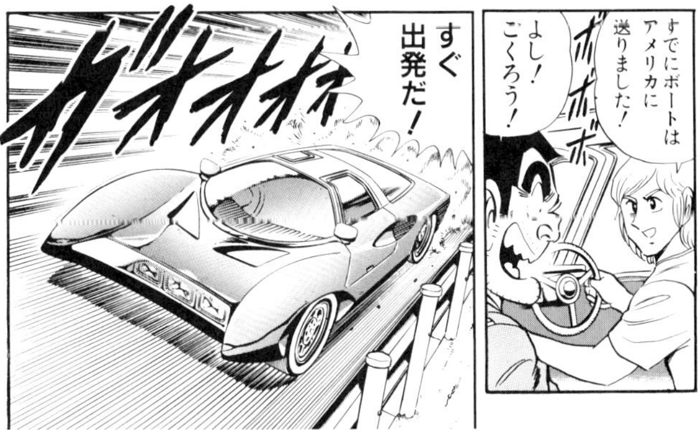
すでにボートはアメリカに送りました！
ボボボ
よし！ごくろう！
すぐ出発だ！
ガオオオオ

アメリカでボートレースか！ダイナミックな夏休みだな
ドドオオオ
向こうでも会うなんて休んだ気がしないわね…

先輩
んがっ

食事です起きて下さい
ううむ……

今どこいらへんだ中川！
もうすぐアメリカ本土に着きます

けっこう早いじゃないか！この船！
ふあ〜〜
コーヒーにしますか？紅茶にしますか？

ちょっと外へ出て目をさまして来る
あっ
危ないここは高度800メートルですよ

なにっ⁉うおっ
ドッ
うわっ

ヘリで
輸送中
なんですよ
先輩!
バババババ
わすれ
ていた

寝起きで
頭がボーっと
してたからな!
注意して
下さい!

上空でも
日差しが強くて
暑いな!
どんどん
南下してます
からね!

ん!
あれは

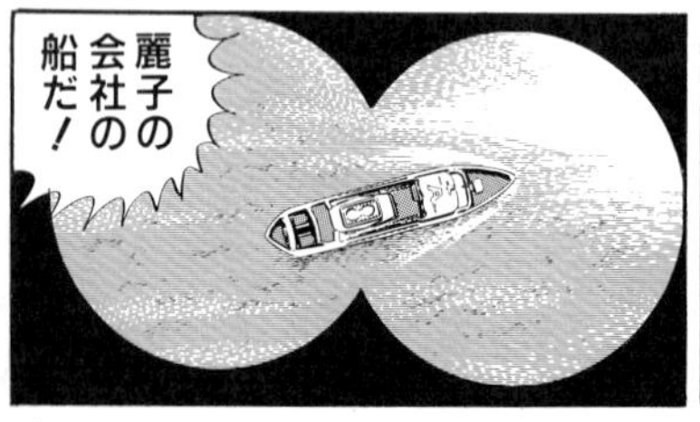
麗子の
会社の
船だ!

いい考えがあるぞ
えっ
あと30分ほどでアメリカ本土がみえますよ
高速船の船旅は早いし楽ね
お嬢様お電話が！

この船に乗ってる事だれも知らないはずなのに…
もしもし！

おい麗子！リッチにエンジョイしてるな！
え!?両ちゃん!?
暑くてな！ちょっとお前のプールをかりるぞ！
どこから電話をかけてるの？いったい
キョロ
キョロ

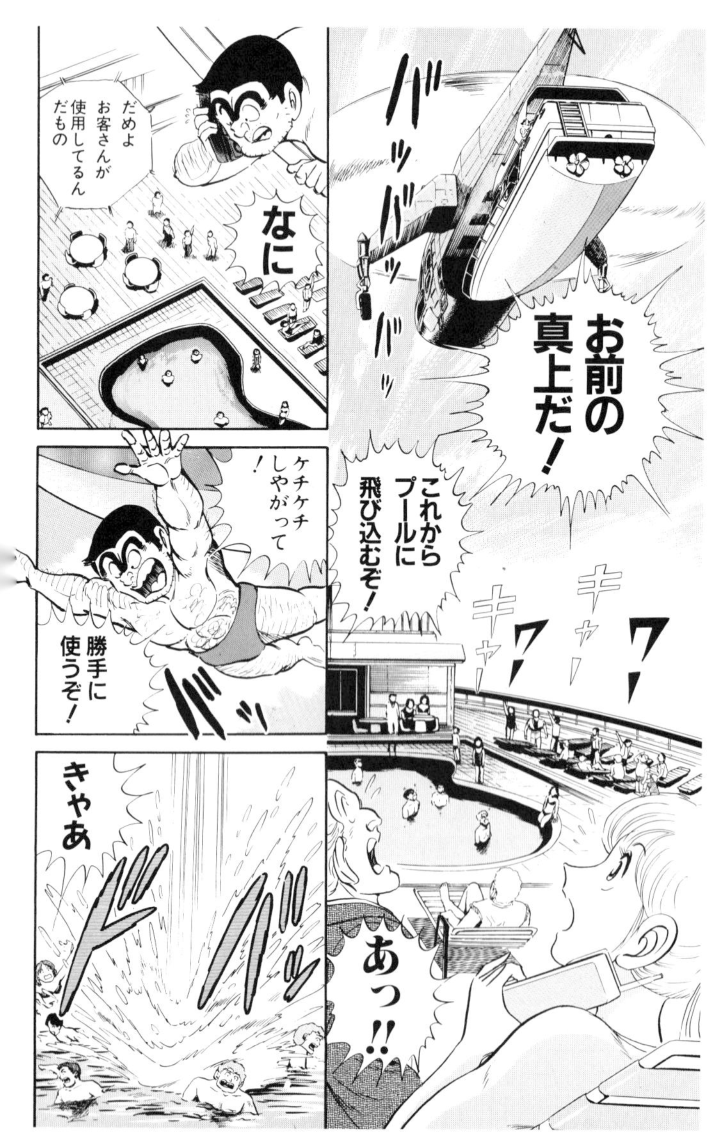

バッバッバッ
お前の真上だ！
これからプールに飛び込むぞ！
キャーキャー
ワーワー
なに
だめよ お客さんが使用してるんだもの
ケチケチしやがって！
勝手に使うぞ！
ズッ
あっ!!
きゃあ
ドバッ

うおお
気持ち
いい!
やっぱ
プールは
最高だな!
ザ
ザ
ザ

両ちゃん
お客さんに
迷惑
かけないで!
なんだと

ザ
ザ
ッ
迷惑
かけると
いうのはな!

こういう
事を
言うんだ!
キャ
ジョロ
ジョロ
ジョロ

あの人を
つかまえて!
わはは
ざまあ
みろ!

待て!
わしの方が
早いぞ

どけ！邪魔だ！
ドドガガッ
きゃあ
待て！
おっとこっちにもいたか
キッ
ここまでおいで！
ぴょん
あっ海へ⁉
ガッ
明智くん！また会おう！
ババババ
わはははは
ななんて人ですか…
ははは
プールへ入ってさっぱりしたよ
まったくもう！
ああいう人なのよ
ガヤガヤ
バババババ

フロリダ州マイアミ
毎年 世界各地で開催されるボートレースの中で 頂点といわれる「パワーボートレース」。世界中のメーカーが技術を競う夏の大イベントである。
POWER BOAT RAC
※作品中の「パワーボートレース」はフィクションです。
すごい人の数だな
開催中の10日間で50万人くらい集まりますよ

夜のレセプションパーティーまでどうします？僕は釣りをするつもりなんですが
何十時間も船の中だったしなまた船というのも

JET SKI RACE
JET RIDERS RENTALSH
ガヤ
ガヤ
おっ

少し体を動かしてくる！
6時までにホテルへ戻ってきて下さいね

わしも参加するかしてくれ！
はい
JET RIDERS RENTAL SHOP

パワーボート観戦ツアーにとんだハプニングがありましたねお嬢様
本当！まったく予期できなかったわ！
お詫びにお客様をカジノへ無料で招待してあげて
はい！かしこまりました
おつかれでしょう！さっそくホテルへ！
あら
ジェットレースずいぶん盛り上がっているわね
すごいですね！

ババババ
やっほお!
あっ 両ちゃん!?
ビイイッ
今日 着いたばかりの はずなのに…
なんて 元気な……
あっ 麗子だ!
ちょっと レース 中断!!
グオオオオム
こっちへ きますよ お嬢様!
ビイイイイィン
あっ
きゃあ
ぶつかる!

せえの！
よい！
タッ
ダダダ
よっ麗子！
さっき悪かったな！
ポン
タタタ
パパ
またな！
レース再開だ！
ババババ
すごいパワフルな人ですね！
ひゃっほぉー
ドドドドッ
仕事以外は元気なのよ！

今年から主催の
メンバーに
参加させていただき
1ST POWER BOAT.GP ROUTE 1
大変光栄に
思っています
これからのマリン
スポーツの発展と…
明日からの
レースの安全と
勝利を願って！
乾杯!!

EXTING1991
英語でなんだかよくわからんがとにかくよかったぞ!
すごく広い会場ねここは!

会場に展示ボートを走らせるとはすごいな
ボートメーカーがうちを含めて30社協賛してますからね
世界中からマスコミもきているし
NOVA

前夜祭パーティーには各社のPR(ピーアール)にそれぞれ工夫をこらしてますよ
このボートはケーキで作ってある

ペラ ペラ
えっ 彼に！

わしに 何か用か ？
ジェットスキーで日本人初のチャンピオンになったから有名になっちゃったんですよ！

ぜひともロディオジェットにチャレンジしてくれと…
ほう ロディオか
ANKING
Rodeo JET

前方からのジェット水流にうまく乗るわけですが
かなり難しいですよ！
ザザザッ

面白そうだ！やってみる
本当ですか？

ネクストチャレンジャージェットスキーチャンピオン！カンキチリョーツ！

明日のレースにさしつかえなければいいが…
考えるより行動が早いものね

うおすごい水圧だ
けっこうハードだぞ
ババババ

パワー全開だ!
グワ

オオ!
バウ
バウ
スゴイ
オー
オー

どうだ水の魔術師とよんでくれ!
わははは
バババ
ババ
会場の人達みんな集まってきちゃったわ!
ワ
オー
オー
ワ
ワ
これじゃボートのPRにならない
先輩のワンマンショーになってしまった…

★週刊少年ジャンプ1991年35号

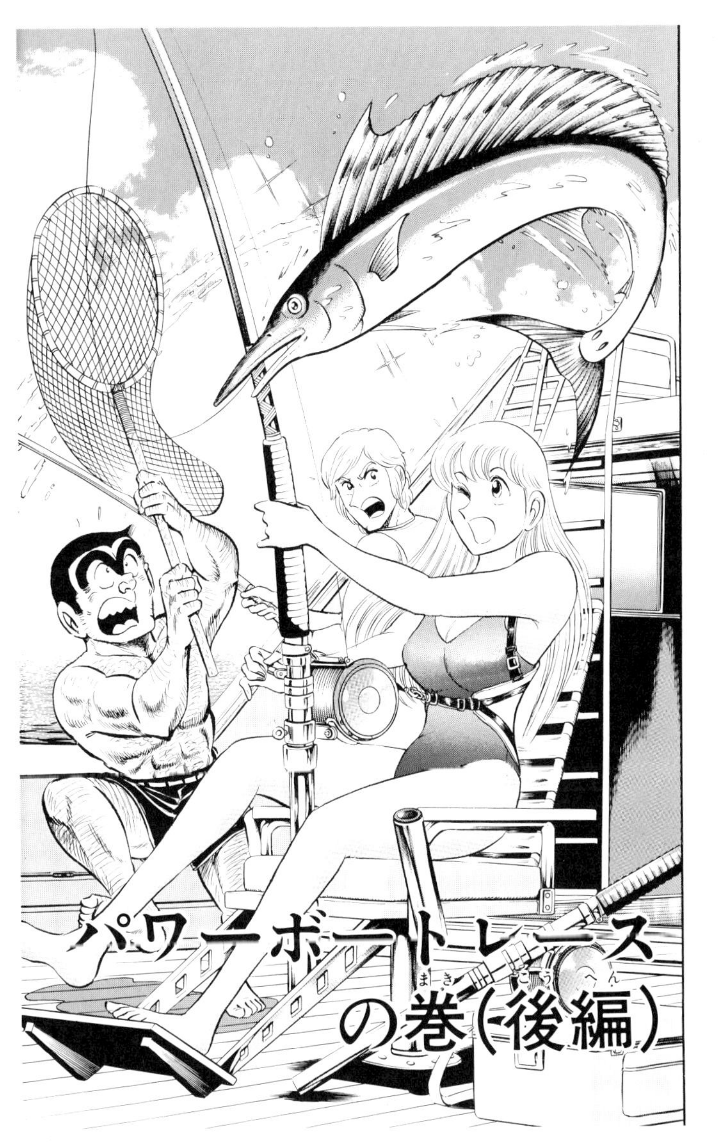
パワーボートレース
の巻(後編)

「パワーボートレース」第2ヒートはアメリカチーム「テキサス」がトップ!
2分35秒のタイムで一位です
ワーッ
ワーッ
POWER BOAT RACE
次の最終ヒートで総合得点が決まります
レースも3日目に入り各チームの差がひらいてきました
ワッ
ワッ

両ちゃん達のチーム今日は苦戦してるようね
それでもトップグループに入ってますよ!たいしたものですよ
ワーッ
POWER BOAT RACE LIST

ちっくしょう!
ガガガ
ザザ
もう少しガソリンがあれば勝てたのに!
NAKAGAWA
だから沖は波が荒くて燃費が悪いと言ったでしょう!
エンジンの具合が悪いんじゃねえのか
ガソリンの量が決まってるからな!
RYOTU
竜
戦闘竜
NAKAGAWA
戦闘竜

いいところまでいったのに残念ね！
大食いだからね・・・こいつは！
次のオープン戦で勝負をかけるよ！
2分を切ります！
なに
イタリアの新星「パワーイタリア」チーム圧倒的な強さ!!
まさに海のドルフィン
POWER ITALIA
44

なんて速さだあいつら!
ビュイイイイン
POWER ITALIA
イタリアの車メーカーがエンジンを担当し今回は 初出場ですね!
さすが欧州は底知れぬパワーがあるな!
POWER BOAT
グラッチェセニョール!!
「パワーイタリア」総合でトップにおどりでました
POWER ITALIA
POWER ITALIA

ガヤ
ガヤ
ヴィイイン
いったい何を!?
ガヤ
ガヤ
ぬん!!
グググッ
船も表彰台に!
ズズ
ボートばかりでなく 乗員もすごいパワーね
POWER BOAT
WINNER
肉とワインできたえられた体にはかなわないな
くそ!
POWER
魚と米できたえたパワーをみせてやる!
あっこれは!

オーッ
日本チームはなんと歯で船をひっぱっています！
オーオー
グググ
先輩やめて下さい
あっくそ
こっちはヒゲでひっぱってやる
ググッ
ダダ
くそ
こっちは耳でひっぱるぞ！
くそ！
すごい争いになってます
ワー
この負けず嫌いめ
ぜい ぜい
それはお前だろ！
ダダダ
グイグイ
万国ビックリショーじゃないんですよ先輩！
本日の最終ステージのオープン戦！
誰よりも早くポイントに着いたチームの勝ちです
POWER BOAT RACE

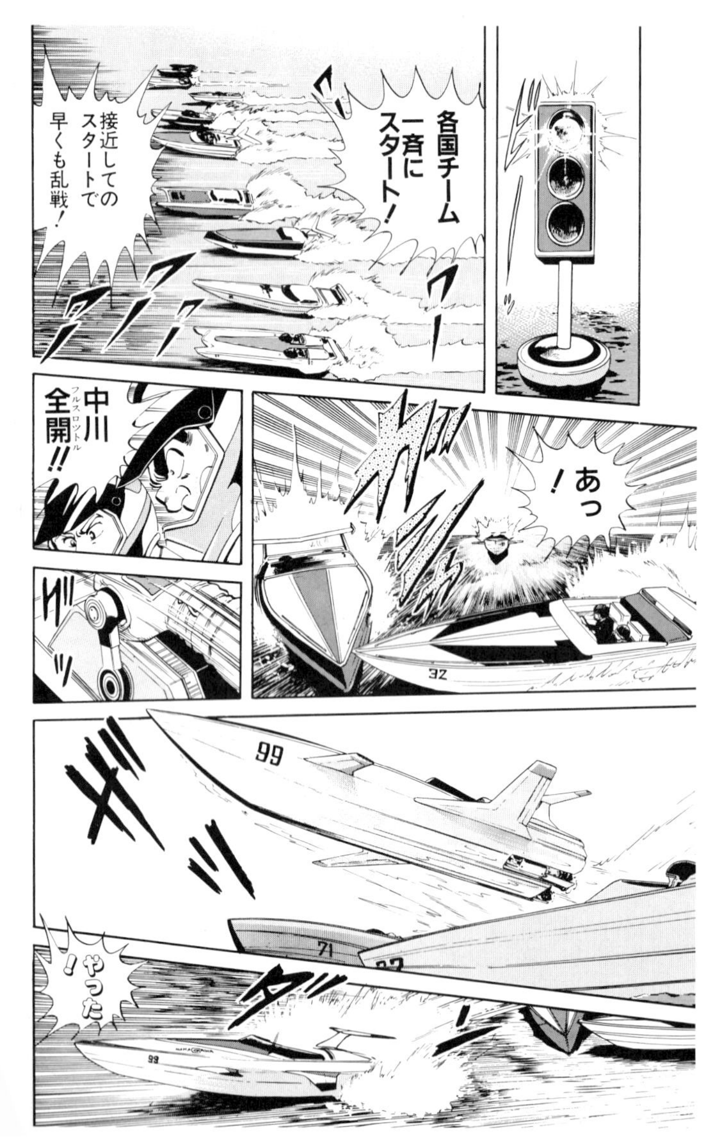
各国チーム一斉にスタート！
接近してのスタートで早くも乱戦！
あっ！
中川全開（フルスロットル）!!
32
99
ザッ
71
やった！
99

だてに翼はついてないぞ
わははは

すごいですねお嬢様！
ワワワ
ああいうのは得意技よ！
ワー

岬を大きく右に曲がります！
ババババ
「パワーイタリア」ダントツの速さです!!

この勝負を落とすとくるしくなるぞ！
ビィイイイ
しかしパワーの差が…

あの運河に入って行け！
え!?
地図で見たところ近道できる
本当ですか!?

日本チーム
「戦闘竜」とつじょ運河に入りました!
どうしたのでしょう
WAR BO
ワ
ワ
ワ
ワ
何かの作戦ですかね?お嬢様
先がまったく読めないのよ2人の行動は!
どけ!どけ!!
オイイイーン
うひゃ!
ビイイイーン
NAKAGAWA

四輪ドリフト!
ザザザザザッ
ぶわっ
ドドトトトン
ななんだ!?
あのボートは!?
こんなに狭い所そんなにとばさないで下さい!!
早く行くから近道なんだぞ!
ドドイイイイーン
なんだ!?
運河が消えた!?
なんてこった!!
くそ!!

うめたて工事中ですね
くそ！地図が古かった
POWER BOAT RACE
戦闘竜
どうやら日本チームショートカット作戦のようです！
両ちゃんの考えそうな事ね！
このままずーっと行くんですよね
そうだよ！
RIVER
海の手前で止まってますよ
そうだよ！
SEA

近くに川があったとは気づかなかったな
でも先輩
POWER

そんなの答がすぐでるだろ
え!? どういう事です!?

あっ
ドドドド
これが答だ！
歯をくいしばれ！
そんなムチャな！
ここをこえねば海へ行かん！
ビィイイィッ！
ぎゃあ！
バ

ウワッ！
キッ
ダーン
キキッ
見ろ！海だぞ！
見えません！

バシューン
キャー
ワッ
ダン
ダン
オウ!
ナンダ!!
ドシャッ
見ろ!トップになった!
ザザッ
ショートカット作戦成功!
NAKAGAWA
海岸から飛び出してきた!?
一体どうやって!?

POWER BOAT RACE
だいたんねえ!

グラ
キャーッ
きゃあ
うわ!

地震発生!
津波の恐れがあるのでボートを岸につけて下さい
レースは中断いたします!

ふざけるな!
せっかくトップになったんだぞ!
RYOTU
レースは続行するぞ!
POWER ITALIA
ビイイイン
当然だ!
おっ「パワーイタリア」が!!
ビイイン

勝手に中止されてたまるか!
その通りだ
あっ
ドドドドド
先輩!! 津波です! 先輩!
やかましい!
わしの耳に念仏だ!
つべこべ言わずちゃんとナビゲーターをやれ!
ドドドドド
ぬお!!
うおっ!

2艇とも
津波に
のまれ
ました
おそらく
……
ドドドドド

あっ

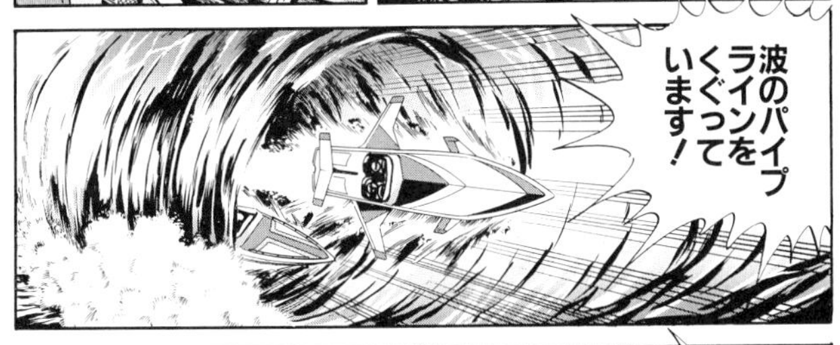
波のパイプ
ラインを
くぐって
います！

見たか
このテク
ニック！
波が
崩れる
！

うおおおっ

うわっ

大丈夫か!?
よくたすかったものだ
ザザー
ザー
エンジンがこわれてもう動きません
ちくしょう!
ぬお
なんと!なおも船をだします
ザ
ザ
ザ
あっあいつ
肉とワインに負けてたまるか
こっちも行くぞ!
うおおお
大変な事になりました
2人ともすごいパワーです!
ワ
ワ
ワー
POWER BOAT RACE

手こぎであらそっています!
もはやボートレースとは異なってます
わしの勝ちだあきらめろ!
お前こそあきらめろ!!
2人ともどこまで行く気かしら
ガヤガヤ
ガヤガヤ
先輩負けず嫌いだからなあ…
どどうだ……参ったかイタリア野郎め……
ひょ…漂流なら…負けないぞ!私が勝ちだ……
ギャ
ギャ

★週刊少年ジャンプ1991年36・37合併号

スーパーバイザー
両さんの巻
寿司
寿し・うなぎ
山田ホテル

マンション価格の下落・不動産業者
倒産　絵画美術の疑惑・政治不信など
バブルが弾けた日本経済は
はげしく　ゆれ動いていた
そんなおり　寺井巡査は
自宅の買い換えという
無謀な行動に出た
35億円
ひょんな事から麗子の
35億円のマンションを
2500万円で買う事になつた
そのマンションは5LDK
異常なまでの広さで
子供など迷子になる
ほどだった
そうじが大変なため
5つある部屋のひとつで
毎日　暮らしていた

35億円のマンションを麗子に返すのか!
とてもぼくには住めないよ
管理費など月50万近くかかるからね
寺井の給料より高い!
住めば住むほど貧乏になるわけか
人間やはり身分相応の生活があるなムリしない方がいい!
高級すぎて全然 落ちつかなかったよ!
ごめんなさい余計な事をして…
こっちこそ!
住む人まで選ばれてしまうとは…

やはり首都圏で2,500万円のマンション探すよ
いちからやりなおしか！
しかし なぜいつも値が上がってから買うんだよお前！
もう3年早ければ…

以前買った家も 値がピークの時だろ！
買ったとたんに下落が始まった！

もっと頭使って時代の流れを読めよ！
読んではいたつもりなんだが…

波をよく見て流れにうまく乗るんだよ！
時代の波

お前は わざわざ波がくずれかける時乗るから一緒に落ちてしまうんだぞ
寺井
寺井
土地ブーム
土地ブーム
昭和47〜49年
昭和61〜63年

わざとそうしてるわけじゃないよ
本当に気の毒ね
おもしろがってやってるとしか思えん！

部長さんは
その点
しっかりして
いるわわね
さすがに
熟年だよ

たえず船の安全を考え
天候に気を配ってるからな
ザザザァァ

ザー

あっ!
ドドドド
不況

これは
危険!

前方より
大波がくるぞ
面舵
いっぱいだ

面舵いっぱい
波をよけろ〜
ザザザァ
ザザァ

何度かの不況の波を乗りこえ
資産を増やしていく名キャプテンだぞ

確かにそういうところありますね
だてにNHKを見てない
時代の先を読んでいる
この顔にピンときたら110番

お前などコンパスを持たずに出航するようなもんだぞ!
えっ

船の運命は船長次第だ
船長がしっかりしてないとだめだ

船長!!
ザー
えっ
どうも進路を間違えてる気がするんですが
えっ!? 本当に
天候もさっきからおかしいいし…

船長! どうしますか!
ど どうしようかな?
船長
う——む まぁいいや とにかくまっすぐ進もう
はい!

情報不足と優柔不断さで嵐の中に自らつっこんで沈没だ
ドドドォ
それはちょっとひどい言い方ですよ!
事実だからしょうがない!

両ちゃんだって同じよ!
なに
海図を見ないで いつもムチャクチャに航海してるじゃない!
先輩の場合船は小さくてもエンジンが600馬力くらいのレース用のエンジンをつんでると思うよ
どんな波がこようと自分の思った航路をパワーで突き進むはずさ!
わはは
勝手に人の事を決めつけるな
!
例えるならわしなど優雅な豪華客船だな

タイタニック号のような気がする
すぐ沈めるな!
両さんは潜水艦だと思うな!
えっ

世間の波に関係なく一人だけどんどん先に行くし…
お先に!
こら!
魚雷で相手を沈めるタイプだからね!
こいつめ!
ほんとね

お前の事心配してやってるんだぞ!こいつ!
ごめん悪かった!
ガツ
なにしているんだ!
あっ部長どうも!

手頃な物件を選んで来た!
さすがマイホームの鬼だ!
トン

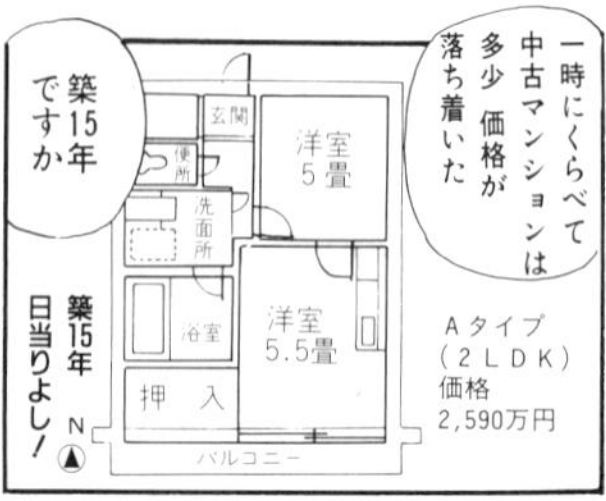
一時にくらべて中古マンションは多少 価格が落ち着いた
築15年ですか
玄関
洋室5畳
便所
洗面所
浴室
洋室5.5畳
押入
バルコニー
Aタイプ(2LDK)価格2,590万円
築15年日当りよし!
N

10年を越すと動きがにぶる!だからこそ買い得だ!
なるほど

ここの施工業者は大手で信頼できる!戸数も多い!
多少 高くとも長い目で見れば安心だぞ

駅から13分で場所がいい!今後マンションを買い換える時有利だ!
立地はマンションの最大のポイントだからな
できればもう少し新しいのが…

このマンションは築5年だ!駅からバスで20分!
バスで20分か…もう少し近い所が…

駅から5分!ただしワンルームだからな!
ちょっと狭いですねやはり広い方が…

広くて
駅から10分
のがあるが
少々 高いぞ
本当だ
予算
オーバーに
なる!

そうだな
じゃあ
ほかには…
どれも
これも
思い通りじゃ
ないし…
う～む
う～む

いい
加減に
しろ!

注文住宅
作ってんじゃ
ないんだぞ
!
はっきり
ポリシーを
持て!

そんな事だから
時代の波と同時に
くずれ落ちるんだ!
どこでも
いいから
早く
買え!

不動産選びは
慎重さも大切だが
どんな物にも欠点は
ある!
長所を見る事が
大切だ

両津!
落ち着け!
優柔不断で
見ていて
イライラする～
ゴボ
ゴボ

書類見てもらちがあかないから実物 見に行きましょう
そうだな

出張でしばらくヒマがとれそうもないいな
あっしが連れて行きます

じゃあお前にマンション選びのポイントを教えておこう！
へい！ようがす

まず施工業者を調べろ！大手の会社なら管理がしっかりしているから安心できる
へい！

築年数も調べる 外見が年数のわりに新しければよし！年数のわりにいたみが激しいのは注意した方がいい
わかりました
先輩がついて行けば百人力だよ！

アパート・マンション
兎殺熊蔵不動産会社
TEL:03
すごい名前の不動産屋だな

大丈夫なのかいここ?
名前で判断してはいかん!

入るぞ!
ごめん!

いらっしゃい!
ぐわ
ぎゃあ

怖いよ帰ろうよ!
バカ!なに言ってるんだ

なにかお探しで!
ひえっ

どなるなよ!怖がるから!
別に!地声なんですよ!

そんなに怖いですか!?この顔!!
このおびえ方見ろよ!

子供にも
いきなり
泣かれて
困るんすよ
大人でも
泣くぞ

社長!!
ときわ
アパートの
住民がまた
家賃滞納
しました!
何
だと!!

あそこは
年寄りが多いんだぞ
気の毒だから
うちで
たてかえてやれ!
はい!

社長!
新築マンションの
このスペースは
どうするんです
おう
そこか!

お花畑に
するんだよ!
近所の
幼稚園の
子供が喜ぶ
からな!
パンジーと
コスモス
なんか
いいぞ

顔に似合わず
やさしいな
でしょう

顔と名前と
すごみのある声で
いつも誤解
されるんすよ
顔見たとたん
お客さんが
後ずさり
しますからね!
そう
だろうな
!

マンションをお探しですか?
うむ この物件を見せてくれ!

大通りに面した5階建てマンション
ここの303号室です
立派だな
メゾン・ド・

ゴミ置場などポイントだぞ
なぜ!?
ゴミの出し方でマンション住民の人となりがわかる共同で住むわけだからな
ここはきれいだから合格だな

南向きの2LDK
先月売りに出たばかりです

壁がけっこう汚れてるな

人が住めば汚れるのはあたり前だろ！
そんな事より間取りを見ろ！

リフォームしてクロスをはれば新品になりますよ
そうだよバカ！目先の事にこだわるんじゃない！

この部屋少し狭い気がするな
ちゃんと6畳分ありますよ

壁芯ですからねここは！
何ですカベシンて？

この壁はお前の物でもありとなりの物でもあるわけだろ
コンコン
そりゃそうだよ

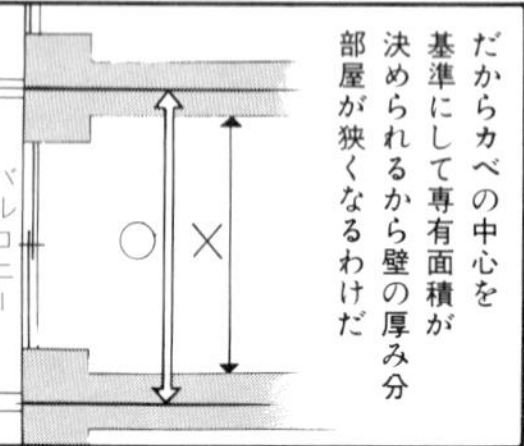

だからカベの中心を基準にして専有面積が決められるから壁の厚み分部屋が狭くなるわけだ
バルコニー
○
×

壁の内側までお金を払ってるわけかマンションは！
天井もひくい上梁もでてるからより狭く感じるよ
どこのマンションも同じですよ

畳のサイズ本当に小さいんじゃないのか?
ドキッ
マンションサイズで多少は…ね!
5畳分の部屋にむりやり6畳入れてるぞ!きたねェ!

これで何軒目だっけ
25軒目ですよ! お客さん!

多少つかれた……
あ!

寺井!! しっかりしろ!
あと10軒残ってるんだ寝るな!
ピシャ ピシャ
暑くて…つかれた…

どのマンションもみんな同じに見えてくるよ!

決まるまで寺井とのマンション巡礼がつづくのか…
だんだんめんどくさい気がして来た…
ここもさっきと同じようなタイプですが…
すばらしいここに決めた！

寺井ここに決めような！
まさに理想のマンションだ

おい不動産屋決めたぞ！契約書持ってこい
しかし…本人が…

うるさい！だいたいお前が悪いんだ！
プロならもっと強引に進めろ！

こいつなど意志が弱いからすぐ決まる！
わしなら10分で落とせるぞ！

その顔なら怖くて客が断れんぞ！そこを利用しろ
あいたた
わしがプロのセールスの仕方を教えてやる

王子
Oji
宮城

プロ顔まけで不動産会社に就職しちゃったんです
何てやつだ!
なに!スカウトされた!?
さあいらっしゃい
鬼殺熊
スーパーバイザー:両津勘吉
夏のビッグセール中だよ!

学生さん礼金ただでいいから部屋を借りない!?
そこのおじさん中古マンションどう!?安くしとくよ!
アパート鬼殺
スーパーバイザー両津
月給80万円と聞いたとたんに転職してしまって……
怖い顔のコンビでは客などよりつかんな

★週刊少年ジャンプ1991年29号

本日より「食べだおれ」店勤務に処す！の巻
トリス
イスキー

食べだおれ
1F和食2F洋食3F中華4Fすし
10号店
味の総合ビル
1F和食
2F洋食
3F中華
4Fすし
すし
中華
洋食
4Fすし 3F中華 2F洋食 1F和食
署の隣に総合食堂が出来たので助かりますよ
これで署員500名も食事で頭を悩ます事はなくなりますよ
私どもも日本中にチェーン店を展開している有名店です
何でもそろってますからね！

ないものは人員ですよ 人を集めるのが一番大変！
どこも人材不足は一緒ですな

出前で体力のある人をさがしているんですがなかなか…
体力

一人うちの署にいます！
もしよければタダでかし出ししますよ

中川や麗子最近来ないな！
しばらく署内勤務になったんだ

ちぇっ楽しやがって！
ギッ

部長 何かあったんですか？
つか
つか

今すぐ署に来い！
グイ
えっなぜです？

理由はあとだ
ちょっと部長！
なにが起きたんだろう

1F和食
2F洋食
3F中華
4Fすし
3F 中華
警視庁
中華四味
今日から ここで 働くんだ!
なんで こんなの 着るんです!!

本当に いいんですか……
10日間ですが タダで おかしします!

タダですって
いつも 食事代を ふみたおして いるくせに!
今回のバイトで それを帳消しに してやるんだ ありがたく思え

ふみたおす なんて いつかは 払おうかなどと 思って…
とにかく 今日から 10日間は つとめろ いいな!

とにかく10日は 有給の前借り させてやる!
ちなみに お前の有給は 15年先まで ないぞ がんばれよ

じゃあ
こちらへ
くそー
勝手に
決めて〜
署の隣に食事の
ビルが出来たとは
きいていたが
大きいな……
うわっ!!
はい!
「食べだおれ」
です
五目ソバ
チャーハン
ヤキソバ
ミソラーメン
ですね
ステーキ
定食と
ハンバーグ
です
ラーメン
10個
ギョウザ
15人前
上寿司
8人前
GYOZA
STAND-BY
SCRAMBLE
STAND-BY
はい
おまち
!
一番出前
行きます!
二番出前
行きます
!
GATE 1
GATE 2
GATE 3
お昼時は
まさに
戦争だな
じゃあ
これ
署に
届けて!
えっ
わしが
署に行く
のか!?

署の中はあなたが一番くわしいでしょう
そりゃそうだがしかし…
参ったな！
このスタイルで入っていくのはちょっと…
あれ!? 両さんじゃない!?
何やってるんだい一体!?
うるせぇな！
さては食い逃げでもしたな！
ははは
やかましい！
ずいぶん気が立ってるな…
はいおまち！
えーと次は…交通課か！
麗子の所か！

へい
おまち
ガラッ
あら
両ちゃん
じゃない
どうしたの
一体！
どうも
こうも
あるか！
いきなり
部長に
拉致されて
このありさま
だよ
まあ！
ここは
サラダと…
ありゃ
サラダと
トースト
だけか？
お前ら
そうよ
これで
いいの
肉ダンゴ
わけてやるよ
あっ
ポイ
金が
ない時は
お互い様
だ！
ガラッ

ダイエットしてるのに……
人の物を勝手にわけてしまって…不安だわ
次は警ら係か!
なんだ!わしの所だ!
おまち!
ガッ
あっ
先輩どうしたんですか!?
見たとおりだよ
借金のカタで10日間の出前奉公に出されたんだよ
大変ですね
えーとラーメンと……
おーい!こっちだこっち!
トン
ここへ置いといてここ!
おつゆこぼさないように!

はい
どうぞ
あちち!
うわっちちち!
横柄な態度をとった罰だ!
どうもありがとうございます
あちち
自分でとります!
おっそうか
当然ですとも
はは
内勤はエアコンきいてて楽だな!仕事も別にないしな
あっ
ピピ
結構いそがしいですよ
くそ!ポケベルで管理しやがって!
ピー
がんばって下さい

これ全部葛飾署ね
一人で持つのかよ
あんたは署の担当だから!
くそ!
食べだおれ
保安係!? こんなのうちの署にあったかな?
おーい両さん
こっちだこっち!
ちゃんとうけとれよ!
え!?
ヤキソバ2丁!!
うお
ビィイイイーン
本当に投げた
きゃあ
ひっ
ガッ
つぐわ

ラーメン
2丁!
ビュッ
うおっ!
きゃあ!
ビュッ
まるでフリスビーだ!
タッ
2階の取り調べ室にカツ丼が一人前か…
まるでドラマの定番だな!
取調べ室
共犯の名を言え!
知らねぇよ!

絶対いるはずだ言え!
知らねぇと言ったろ
ドン
こんなまずそうなカツ丼が食えるか
あ
君は まだ新人だね!
調べ方がいかんな! それじゃあ
えっ あなたは一体?

君は言葉が多すぎる
私が手本を見せよう
プチッ
ん？
グイ
ああ
あの…
ググッ
ぐわっ！
ちょっとやりすぎですよ
待てこら！
ひいい
たたたすけで…

たすけて……
刑事さん
何でも
話します
から…
ガッ
毎度
あり!
どこかで
見たような
気がする…
次は
署長室か
署長室
ありゃ
誰も
いない
こんな立派な
署長室に
改装しやがって
まったく!

何を食いやがるんだ！あいつ！
なにカツライスの特上だと！

こうしてくれる！
わしとの間接キッスだ！
ぺっ
ぺっ
ぺっ

我々の給料が特上や豪華な内装に化けているのか…
くそ！考えたらだんだんハラが立ってきた！
ズズ…
スープを口に含み
元に戻す
ゲゲ
あっ
ゴン
ガシャ

わはは
すばらしいスペシャルメニューだ！
少し気分がはれた！

やばいなあ…
有田焼きの皿が…

カタッ
出前の中華皿でごまかそう
しばらくは気づかんだろう
龍

あっ

わしの始末書がこんな所に……
署長室にかくしてあったのか……

内密に処分してしまおう

まだやばいものがあるかも知れん
査定表なども抹消しておいた方が…
ガラ

やばい帰って来た
コッ
コッ

窓から脱出!
やってる事は泥棒とかわらん!

それにしてもハラがへったな
わしもまだお昼を食べておらん

ひと口カツがいっぱいあるから食べてしまおう
ガツ
ガツ
このくらい当然の権利だ!

ドン
はいおまち!
何これ?
注文のひと口カツだ
・・・ひと口すぎるよこれは
インチキだぞ!これ!
うちの品に何かご不満でも
バキボキ
あっいいや べつに
まいったなこれだけとは……
おいちょっと…そのカツ!
おれのとつながるぞ!
あっ
おれのも端だからもしかして…
それならおれのも
あっそろった!!
ソースのかけたあとまでピタリ

元は ひとつのカツか…パズルみたいだ……
3人分がどこかに消えた事になる…

なんだ!
こんなに食べ残しやがって!

残飯が多くて入りきらないぞ!
回収する身になって食べろよまったく!

ガラ

自分で残したのは自分で始末しろ!

現代人には身をもって反省させねばいかん!
食べ物の大切さを!
ザァ

机に入りきらんな
ポケットにつめるか！
自宅に持ち帰って反省させよう！
それにしても署も けっこう広いな！
けっこう体力がいるよ！
あと交通課と……
ん
交通課
あっ
いつもごくろうさまです
仕事の合い間などに食べて下さい
なんと心の優しい婦警達だ
うう
人のなさけが身にしみる！
カチャ
世の中いい人もいるもんだね
ガラ
ラッ
元気だしてがんば…
げっ
ハイザラがわりにするとは……

だれだ
こんなマネ
しやがった
のは
オレは
知らんよ
なんとか10日間の奉公を務め
ようやく自由の身になった
キ

いやあ
やはり
派出所は
いいなあ
ごくろう
さまでした
両津！
辞令が出てる
ぞ！
え

「食べだおれ」での
成績が優秀だった
ので 君を本日より
「食べだおれ」店
勤務に処す！
署長！
ずるいです
よ！
署の隣の食堂
勤務なんて
全然
警察と関係
ないでしょう

★週刊少年ジャンプ1991年47号

麻里愛・最大
の宿敵！の巻

今
何時に
なる?

11時50分
ですわ
あと10分で
昼めし
だな!

飛ばすぞ
しっかり
つかまって
いろ!

うおおおおおおお
ギュイイイイイ

おやっ
植木流
翔堕羅拳本堂

何だ
あれは?
シャカ
シャカ
シャカ
どけけどけけどけ!!!!

ドカ

どけと
いったろ!
邪魔だ!
ギュッ

例の
こわい
お巡りさんだ
一体
なにしに…

ガラ
よう!ひさしぶりだな
マリアを送りに来てやったぜ!
ジュー
そうかわざわざすまんな!
夏季合宿中でいい物を食べてると聞いたからな
食い意地のはったやつめ!
おお昼から焼き肉とはすごい!
来たかいがあったぜ!
ドカ
私に果たし状が来たというのは本当ですか?
うむ
多分男だった頃戦った相手だと思うが…
ガサ
ガサ

果たし状
いつかのけりをつけに行くまっていろ！
麿愛へ
加瀬大左ェ門
これが愛あての果たし状だ
昨日矢文で届いた！
パク
パク
私に!?
大左ェ門という男に聞き覚えあるか!?
もしかしたら…
急に風が出て来たな
うわ
ぐう
あっあれは！
ん！

ヒュウウウウ
大左門
麻里愛に会いに来た！
雑魚に用は無い！
そこをどけ！

なに！
雑魚とはなんだ！
ザッ
ゴクッ
パッ
ゴオオオオ
うわ
ひえ
わははどうだ！
道を開けろ！道を！

やって来たか
いきなり火をはいただと
わしに近づくとキケンだぞ
ゴク
さぁどいつだ！
火だるまになりたいやつは！
大左エ門
翻
よせ！！バカ！
バシッ
ボッ
ボワッ
ぐぉお
ゴロン
ゴロ

あちちち
ゴォォォ
こっちへ
くるな
バシャ
人間
ポンプか!
こいつは!?
違う
ザバッ
うお
わしの名は
加瀬大左エ門
時古流の
師範だ

思い出したぞ
その顔！
武道大会で
愛と戦った
男だ！

そうだ

決勝戦で
やぶれた屈辱は
今でも
忘れんぞ！
あれから3年
私は命がけの
特訓を重ね
技をみがいて
来たのだ!!

そして
挫折しそうに
なった時は
この
ロケットの
中の…

麻里の写真を見て敵意を新たにし
修行にはげんだのだ！

普通ロケットには恋人の写真を入れるんだぞ！
男の写真を入れるとは…
うるさい！

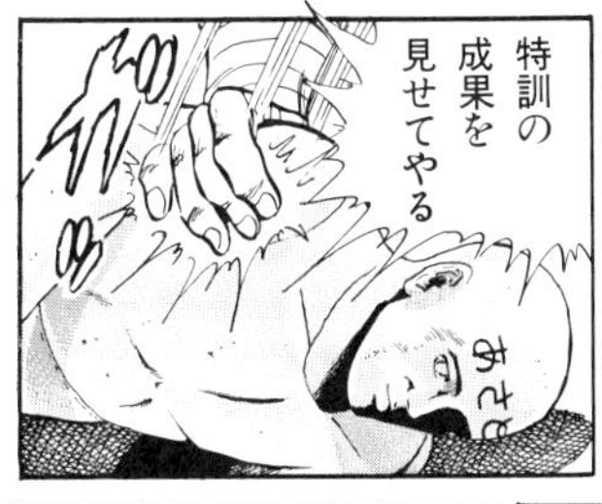
特訓の成果を見せてやる

麻里の得意な上空からの一撃をこの様にかわす！

どりゃ

どりゃあ！
でい
ドカ
ぬん！
ダッ

ゴオオ
うお
見たか
時古流
白鷺の舞！
わははははは

技は
いいとして
………
初めの
手裏剣は
ずるいぞ！
だまれ！

最強の麻里を
たおすためには
手段は選ばぬ!!
見ろ
このキズ!!

山ごもりで
熊と素手で
戦ったキズだ！
地獄の様な
日々だった・・

それらもすべて永遠のライバル
麻里をたおすためだ!!
わかったらどけいぃ!
麻里 愛どこだ!
出てこい!!
おじけづいたか!!!
さっきから目の前にいるよ!
なに

ダッ
どこだ!
麻里
この中か!?
パッ
違う違う
ここだここ!
どこだ!
この人が麻里愛だよ!
グイ
ふざけるな!
ドゴッ
私は真剣なんだぞ!
大バカモノ
大佐ェ門
ギャ

本当にこいつが麻里愛だ!!
なに

パカッ
そんなバカな
ダッ

じー…

な
な な…

本物の麻里…なのか?
はい

うおおおおおお
何てこったあ!!!
こんな事が……………
あっていいのか……
フラ～
フラ～
ガク
修行をかさねた3年間は
全く無駄な努力だったわけか
うおおおおお
が
が
3
14
2
25
29

がっちょ〜〜〜ん
ドドドドドドドドド

き
気の毒すぎる……
何て悲惨なやつだ…
翻望

そう言えば…

格闘技の王座を決める世界武道大会で日本人同士の対決になり…
世界武道大会

当時の私は加瀬をたおしました

その時 加瀬は必ず復讐にくると言い残して去って行ったのです…

それであんな卑怯で変態的な技を身につけたのか…
その間マリアが女になっていたとは夢にも思うまい…

勝負の世界のきびしいところだ…
ポン
どこが！

麻里！勝負よ

な！
何と

こっちも女性になったわよこれで同等に勝負よ！
ぜい
ぜい
ぜい
修行を絶対に無駄にしないわさあ来なさい！
やはり変態だ…この男も…
ジリ
ジリ

★週刊少年ジャンプ1991年31号

給料を追え!!の巻
ふとん
鈴木
清酒
江戸っ子

そうか！
今日は
給料日か
押ボタン式
交通
銀行
振り込みに
なってから
楽になったね
給料日以降は
自由に銀行に
おろしに行ける
からね

便利になった分
ますます個人が
社会に 管理
されてきてます
よ
えっ
どういう
事だい？
今は ほとんどの料金を
預金通帳から
引き落としているでしょう
確かに便利だから
ひとつに
まとめてる
けど…
だから その人の
お金の動きが
ひと目でわかるん
ですよ

例えばここにサンプルがありますが…

お金の出し入れはすべてコンピューターで管理されてますよね

その人の給料はもちろんボーナスなども全部口座に入るから通帳を見れば収入がすべてわかります
また引き出し額も明記されるから何月何日いくらおろしたのかもわかるわけです

例えば 水道やガス料金などでは計算によって何月は留守がちだなどの推測もできますよ
そ そういえばそうだが

家や車などのローン返済額など金づかいが荒いか堅実かも すべてわかる!
経済面でのデータ・ベースになってしまうおそれがあるんですよ現在では!
すごい世の中になったな!

だから給料を何か所かの銀行口座にわけたり引きおとし専用口座を作ってるビジネスマンも多いんですよ
プライバシーは自己防衛しないと

一つの通帳で人となりがわかるわけだ
本当ですね

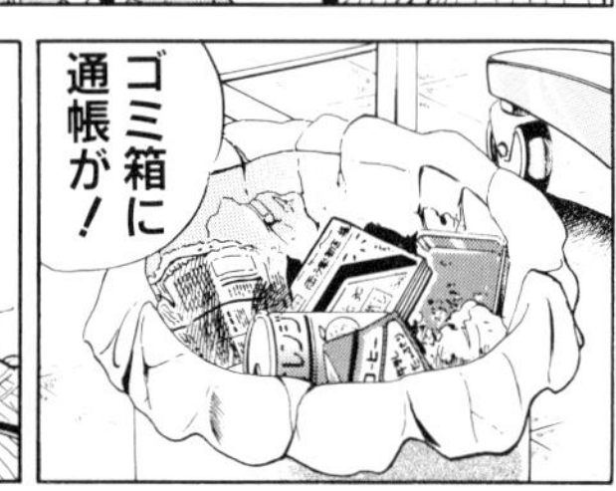
ゴミ箱に通帳が!

先輩のだ…「繰越」で用済みの通帳ですが…
ゴミ箱に捨てるとは…

中を見なくとも…人となりがわかりますね……
あいつの性格がそのままだ

用が済めばゴミ箱へポイあいつの人生をあらわしておる
大ざっぱですからね両さんは

中身はもっとすごいですよ
なに!

あ!

	お支払金額	お預り金額	摘　要	差引残高
		325,123	ケイシチヨウ	****325,123
[illegible]	325,123			**********0
91-06-15		315,863	ケイシチヨウ	****315,863
91-06-15	315,863			**********0
91-07-10		828,862	ケイシチヨウ	****828,862
91-07-10	828,862			**********0
91-07-15		326,513	ケイシチヨウ	****326,513
91-07-15	326,513			**********0
91-08-15		312,516	ケイシチヨウ	****312,516
91-08-15	312,516			**********0
91-09-15		327,612	ケイシチヨウ	****327,612
91-09-15	327,612			**********0
91-10-01		5		**********5
91-10-01	5			**********0
91-10-01		5		**********5
91-10-01	5			**********0
91-10-01		5		**********5
91-10-01	5			**********0

※市場金利連動型預金

先輩にしてみれば一刻も早く現金を手にしたいんじゃないですか
銀行振り込み制を最後まで反対してたからなあいつだけ!

子供の頃から貯金箱は買った事がないと言ってたわね
使うのにいそがしくてお金をためるヒマがないんだよきっと

自動引き落としが何ひとつないからまったく生活が感じられないなこの通帳は…
同額の出し入れのみ…ですからねちゃんと電気代水道代 払ってるんですかね?

これは何かしら
ん?

5円が同じ日に出たり入ったりしているわよ
うーむ変わった事をするやつだ…

あっ!思い出した!!
なに
御用
御用

確かその日は
銀行の
創立記念日
なんです！
入金すると
マスコット人形が
もらえるん
です！

それで
こんなに人形
集めたん
ですよ！
なんでも
シリーズで
20種類
あるとか…

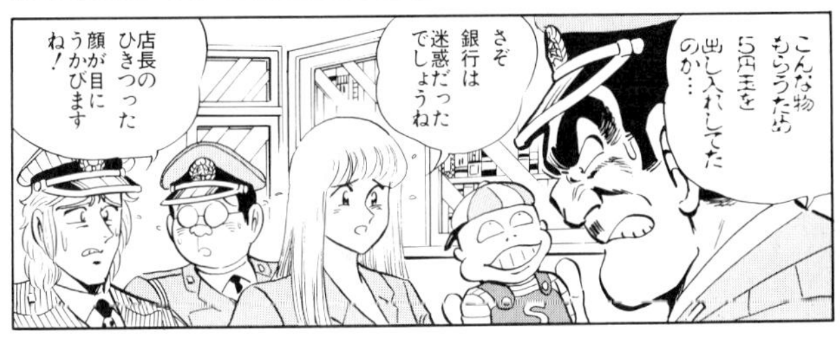
こんな物
もらうために
5円玉を
出し入れしてた
のか…
さぞ
銀行は
迷惑だった
でしょうね
店長の
ひきつった
顔が目に
うかびます
ね！

この通帳
どうしま
しょう？
望みどおり
捨てて
やれ！

燃やした
方がいいと
思うけど
……
ん!?
COFFE

あっ
先輩のハンコも捨ててある

ありゃ!?
別の通帳がヒモで…
ガサ

これは新しい通帳ですね!
なに

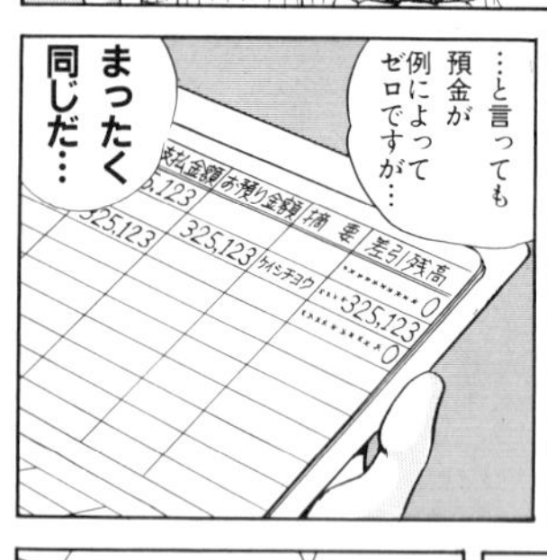
…と言っても預金が例によってゼロですが…
まったく同じだ…
支払金額
お預り金額
摘要
差引残高
325,123
325,123
ケイシチヨウ
325,123

きっと間違えてゴミと一緒に捨ててしまったんですよ
どうせ大金が入ってないからいいが…まったく

今日 給料の振り込み日ですからね
先輩の事だからお昼まで寝ていて午後一番で銀行に行ったでしょうたぶん…

そこで初めて通帳がないのに気がついて…
ひょっとして派出所に置き忘れたと思い出し…
全速力でかけつけるはずだから間もなくここに…
あっ
キーッ

あっどうも部長
キキッ
行動がすぐに読める…
ピッタリね!

先輩! これを忘れたんですか
あっ
こら! 人の机から勝手に出すな!
パッ

ゴミ箱に
落ちて
いたのよ
なんだと！

そうか！
やはり
あの時に
捨てて
しまったの
か…
銀行の
カードも
持っていた
でしょう
先輩！

カードは
曲げてしまい
CD機に
つまらせて
こわして
しまった！
銀行から
通帳のみを
使ってくれと
いわれたんだ
！

げっ
ドキ
どうせ
一円も貯金
してない
くせに！

見…
見たんですか
部長！人の
プライバシーを
！
お前には
プライバシー
などない！

どうして
全額すぐ
おろして
しまうんだ
ちょ
ちょっと
待って下さい

今日の私は
非番なん
ですから
プライベート
なんですよ

お仕事がんばって下さい！じゃあまた！
あっこら！
全額おろして2、3日中には全部使い切ってしまうでしょうね…
まるで小学生の金の使い方だ…

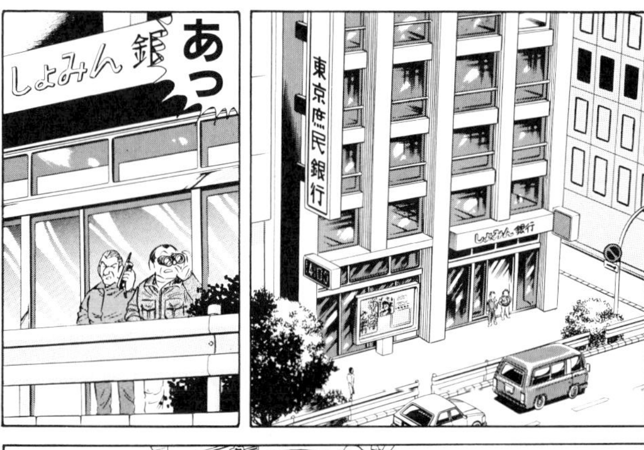
東京庶民銀行
しょみん銀行
しょみん銀
あっ

借金取りめここにも張り込んでいたか…
ボーナス時ばかりでなく日常の給料までねらいやがって…
銀行振り込みになってから金融機関に近寄れなくなったな！
カンタッキーフライドKant
フライドチキン

先月は銀行の中で借金取りと もみあって銀行強盗と勘違いされたし…
スーパーMAC

商店街の8割が借金取りだからな
亀有はもちろんの事綾瀬や青戸あたりの銀行まで手がのびてるだろうな！

もはや地元は捨てよう！
捕まったら元も子もない！

駅
銀行ネットワークの強さを利用する
全国どこでも引き出せるんだからな！

出来るだけ遠くまで行こう！
なんか横領犯人みたいになってきたな
4
JR

← 5番線の発車は
6番線の発車は →

へへへ
やったぜ！
見事
現金を
手にしたぞ

毎回
場所を
変えてやる
頭脳戦
だ！
東京・上野
1 方面

本当に
この駅に
いるのかい
東京・上野
1 方面
川口オート

両さんの顔を
指名手配犯人
だといって
東京中の金融機関に
配ったんだ
だから
連絡が入った
んだぞ！
あの顔は
一度で覚える

いた！

現金を
持っている
いそげ
あの人はすぐ
使ってしまう
からな！

新宿・渋谷
方面
東京・上野
方面
両さん
待て
HOT
DRINK
あっ⁉
商店街の
おやじ‼

なぜ
見つかった
んだ!

おかしいな
どこで
見失って
しまった!
あの顔は
50メートル
はなれても
目立つはず
なのに…

むこうを
探そう

何が目立つだ
くそ!
確かに
当たってる
かも知れん!

あいて
!
ドン

なんだ
人に
ぶつかって
おいて…
ん!?
あ!!

おいこら
待て!
スリだ
その男!

よりによって
わしのを
とるとは
まてこら!
あの
声は!
間違いない
両さんだ!

いた!
両さん
金を出せ!
今
その金を
すられたんだよ

あいつだ
スリは!
え!?

待て
待てこら

人が多すぎる！
だめだ人波に消えていく
絶対逃がすもんか
あ
ダダッ
両さん危ない！
やめろ両さん
やだ!!
捕まえる！
きゃあ
市川真実美容室
タッ
どうだ追いついたぞ！
うわっ
こいつ返せ！
ガッ
ビクッ
!?あっ
仲間がいたのか

こいつをたのむ！
線路を渡ってあいつらを捕まえてくる！
はい！
くそ電車が！
ゴオオオ
バイバイ
メガネ
安心するのは早いぞ!!
ダッ
絶対逃がさんぞ
ガッ
あ
こめぇ
パーマ久美
フラわ
ダッ
あ

わしの金
返せ!!
ガッ
うわ
くそ
ガラガラ
ドンガ
ドキ
まて
こら!
ピシャッ
グ グッ グ
ひいっ
3人の仲間
見捨てていく
気か!
このやろう!
ぎえぇ
バキ
ドガ
3倍いため
つけて
やる!
よりによって
両さんの金を
スルとは…
運の悪い
スリグループ
だ…

警察官募集中
警視庁

両津一人で捕えたのかすごいな
自分の給料をとられたから本気ですよ 個人的なうらみ100%で！
スリグループ4人大捕り物
4人重軽傷

商店街で配っていたポスターですって 両ちゃんだけ付けくわえたらしいけど…
本物の犯人より凶悪そうだ…
この顔見たら110番
どこかで

結局給料すべて借金で取られたそうだな
そこで また新しい方法を考えてるんですよ

おい！ニセ札を造る気か両津!!
違いますよ FAX(ファックス)で給料をどうやったら送れるか研究してるんですよ！ 借金取りの魔手から守るために！
借金するクセをなおした方が早いと思うけど…
カタ カタ カタ カタ

★週刊少年ジャンプ1991年50号

怒濤の下町パイレーツ!?の巻

ガルピブロロロオォ

今年はカラ梅雨ですね!
雨より晴れの方がいい!

しかしフェイントしてあとで雨がドサっと…

あっ本当だ!

帆船だ!!
えっ

レストランのディスプレイか!
キイ
ゴールデンハインドだな
帆船模型で作った事がある
ゴールデンハインド?
映画の「ショーグン」に出て来た帆船だ
カラーリングもそっくりだ
有名な船なんですね
私がレストランのオーナーです!

7つの海にロマンを賭ける男のために!
今 ここに完成しました!!
男の海洋レストラン
その名も「男の海洋レストラン」!!
新鮮な海の幸をベネチアより直送!
本格的イタリアンシーフードレストランです
店の船内風(キャビン)はもちろんの事これをごらん下さい!
何と海外から購入した実物の帆船がかざってあります

これこそ本物の海賊船です！

ちょっと違うぞ！
えっ？

本物の海賊はスピードの出る小型船をよく使うんだ追っかけやすいからな
平凡な小型船で安心させて近づき襲撃するんだ！プロはな！

あんなドクロマークつけてたら海賊と一発でばれてしまう
誰も近づきませんね

でもこの「ハインド」も海賊船として使われた事もあるらしい…
でしょう正しいじゃないか！

OKですマスター
そうですか

来週TVで放映します
どうぞよろしく

PRの邪魔をするな!
船のオーナーのくせに全然知らんのだな!

帆のはり方が少し違っているぞ
いいんだよ!そんなのは!

イタリアンレストランのシンボルとして店の前にデーーーンとあればいいんだ!

「ゴールデンハインド」はイギリスの船だぞ
イタリア料理とどういう関係があるんだ

細かい事はいいんだって!
とにかく何でも帆船があれば!

開店記念のランチサービス券です!どうぞ
おうサンキュー

ひるメシのタダ券だ!もうけたな
そうですね
チャッ

それにしても目立ちますねあの船
下町の名物になりそうだな
ブロロ

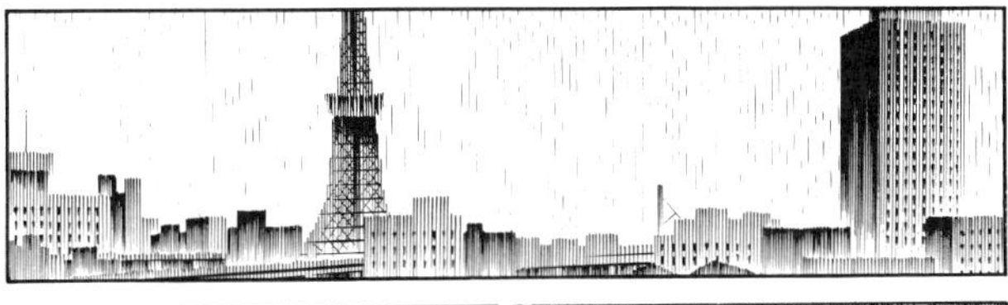

ザアア…
バシャ
バシャ

これでもう10日目だぞ
いくら梅雨だって降りすぎだ
関東のあちこちで水害が続いてます
まとめて降ってるようだな

きゃあ
あっ
麗子どうした
ダッ

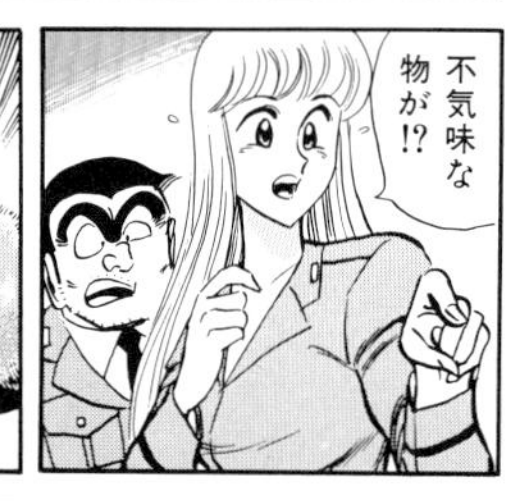
不気味な物が!?

あっ
!?

何なんです?

わしの食べ残しのパンだ!
えっ!?

長梅雨ですっかりカビだらけになった
きたないわね!

どうしてとっておいたんですか!
いつかハラへった時に食べようと思ってな

あっ
そうだ!

イタリアン
レストランの
タダ券も
期限が
今日までだ
この
雨じゃあ…

今日
行かねば
ただの紙に
なってしまう
ぞ!
あっ
こら!

まるで
川みたい
ですよ
ガロロ
雨あしが
だんだん強く
なって来たな

あちこちで
水害が
おきてる
な!

あっ
プスン

電気系統に水が入った! もうだめですね
車高が低すぎるんだよ まったく

今度はシュビムワーゲンに乗ってこい!
はい!

しかたない あるいて行こう
完全に沈んでしまった!
ブク ブク

やってる やってる

いらっしゃいませ!
やっとたどりついたよ!

空いていていいな!
こんな雨の中くる人はいませんよ
タダ券のランチ2つね
はい!
見つかったらやばいですね
大丈夫だって!
歓迎ゲリバゴフ大統領 葛飾署一同
大統領来日歓迎会
なに!
歓迎ゲリバゴフ大統
両津達が逃げた!!
まったくこんな時に!
わかったもういい!

両津はこられないのか?
逃げたようです

こない方がいいかも知れませんが…
わしらだけでかたづけよう!
そこを早くどかせ

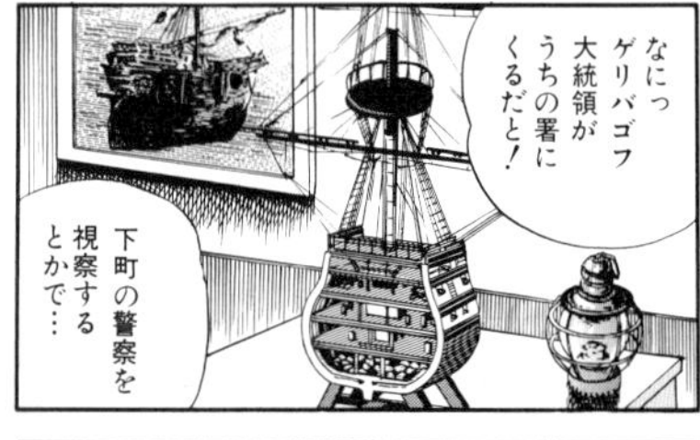
なにっゲリバゴフ大統領がうちの署にくるだと!
下町の警察を視察するとかで…

こんな雨の中ゲリピーが本当にくるのか
雨だろうと予定どおりスケジュールをこなすと思いますよ

部長達がその事でさわいでたじゃないですか
わしらには関係ない事だ!

風が強くなって来た!
まるで嵐ですね

ガシャ
うわっ

大丈夫ですか?
すごい風だ!

あの帆船帆をたたまないと危険だぞ
ギシ
ギシ
ギシ
今にも倒れそうですね

えっ!? 帆のたたみ方など知らんぞ
じゃあ わしがやってやる! お前も手伝え!
ビュ
ビュ
ビュ
うおっ風がすごい!
ギシ
ギシ

センターセールからたたむぞ
ギシ
ギシ
はい
何だこのロープの結び方!
メチャクチャじゃないか!
うわ!
ビュウウウ
台座からはずれた!
バキバキ

たおれるぞ しっかりつかまれ!!
うわっ
なに!?
バランスをとって走り出した!!
冗談じゃないぞ!
早く帆をたため!
あっ 海賊船だ!?
COFF
くま

しかたない
ロープを
切る!
何
だって
やめてくれ
高かったんだぞ
このまま
迷走させる
気か!!

ドドドド

ゲリバゴフ
大統領だ!

わが葛飾署に
来ていただける
とは感激だ
全世界に
ネット
されますよ

何だ
あれは!!
帆船!?

だめだ カジも きかん!
先輩 前!!
げっ 葛飾署だ
衝突 するぞ!!
あとは あんたに 任せる
スポッ
あ!
こら! 店長!
逃げるな!!
あとは よろしく!
中川 まで!
わしも 逃げる!
あっ ロープが!
うわっ ぶつかる
ザザァァ
ゴゴゴゴ
うわ

私は無実です！
信じて下さい!!
りょ両津だ…
な何て事を
逃げろ！
衝突する！
ドドド
ザザ
ドガッ

巨大帆船を使った襲撃事件ですが嵐によってディスプレーの帆船が走り出したとの事で…
全く偶然が重なった事故と判明しました！
ゲリバゴフ大統領は今日帰国予定で…
それで両ちゃんは？
ちょっと海外出張に行った
コホン

どこが海外出張なんだよ！これ!!
SOS
ババババ
あれは事故だわしのせいじゃないぞ!!

★週刊少年ジャンプ1991年27号

御用
七色の声を持つ男の巻
それが男だ 根性度胸だ

先輩
帰りますよ
今日も
みんなで
カラオケかい
男命のォ〜
三度笠〜〜〜
ヘタの
横好きほど
こり性で
大変なんだよ
あっ
もう一度
言って
みろ
いや別に
両さんの
事じゃ…

うまいか
ヘタか!
お前も
聞きに
来い!
グイ
これから
夜勤の
仕事が…

仕事もクソ
もあるか
来い!
たすけて!!!
気の
毒に…

カラオケボックス
ビリヤード
ゲームセンター
1F2F カメアリ
カラオケBOX
また一番
乗りだ!
4
受付
カラオケ
BOX

早く
しろ!
早く!
コン コン

今日も
元気だ
ダッ
歌声が
響くと!

ぬおっ
先客が
!
キッ

いつもの
ボックス
ふさがって
ますね
くそっ
ここはわしの
専用なのに!

あら あの人
歌謡教室の
先生よ

なんでプロが
こんな所に
来てるんだ
さあ

じゃあ
となりに入り
ましょう
わしの手に
なじんだ
マイクを
使いやがって!
両ちゃんの
じゃないのよ

ようし！
思い切り
うたうぞ
そこに
座って下さい

寺井だけ
正座だ！
イスなど
10年早い！

先輩の
歌は…
えーと
230の
628
だ！

コード
ナンバー
しっかり
覚えて
ますね
週20回は
うたう
からな！
もはや
体の一部
だ!!

230
―
628
と
これで
セット完了
！
ピ
ピ

静かに！
この間が
いいんだ！

イントロが始まった！
男の人生
作詞　男田男ノ介
作曲　男盛一男
お待たせいたしました！
今宵あなたの耳にお邪魔するボイスはあなたの両津勘吉さんです！

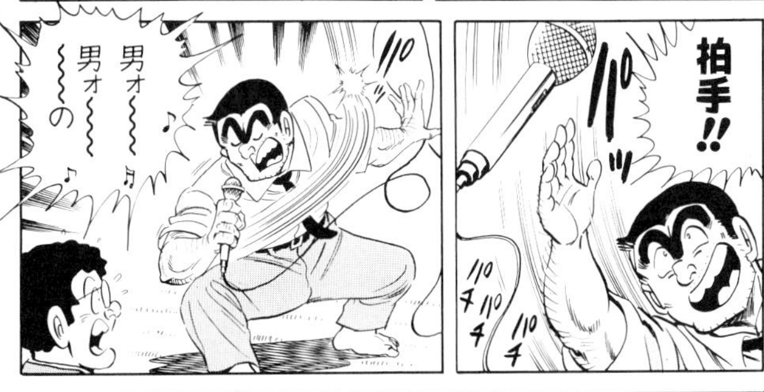
拍手!!
パッ
パチパチパチ
パッ
男オ〜〜〜男オ〜〜〜〜の

男オ〜〜〜
男一匹〜イイ〜〜〜
これがア〜〜
男のォ〜〜〜じ〜
人生さア〜〜〜
それ拍手！
拍手！
拍手！
パチパチ
パチパチ
パチ
パチ
思い出多き〜〜〜
あら

となりの
ボックスの
先生だ
京の
夜〜♪
さすが
上手だね

おい
こら!
わしの歌は
どうなんだ
よ!

す すごく
個性的
です!
肺活量も
かなり
あるしね
目が
覚めるわ

全然 歌の
評価じゃ
ないぞ!!
あいた
…
ボコ
ボコ

こら〜〜〜
となり!
うるさいぞ!!!
静かに
歌え!!!
ガンガン
ドドン

やかましいわね
となりの人
早く
帰れ!
ドンドン
迷惑ねぇ

中にはああいう人もいるんです!
歌で説得すればいいのです!
続いてはお待ちかねの「男のためいき」
ほとんど両さんのワンマン・ショーだね
いつもこうですよ……
何か文句あるのか
ギッ
いや別に!
麗子!次うたうか!
いえ!どうぞ!
じゃあ わしの40曲メドレー大会をはじめる
心して聞くように
夕食までに帰れそうもないな……
でた!
男のため息
作詞 男坂登
作曲 男前美男
演歌の決定版!!
祭
オオオオ の男ォ
男のため息が〜〜〜
すごい……全然違う……

くそ! イヤミで同じ歌を……
さすがプロね
男の〜♪
となり静かになっちゃったわ
自分のヘタさが身にしみたわけですね
くすっ
バカ野郎のォ〜 歌謡教師めェ〜 帰りやがれ〜
歌なんかでエ〜〜 金とりやがってエ〜
サギみてえな商売するンじゃねえ〜〜
どうだ! まいったか
ぜい
ぜい
ぜい
しかえしのやり方がせこい…
やかましい 素人め〜 お前のは歌じゃない〜 ヘタだア〜
ぬぉ〜〜〜 頭に響く〜!!
声量が全然違う!!

こっちは肺活量で勝負だ！
どやかましいぞぉおおお
このォ～サギ男めえ～～～

す すごい大声…
プロに挑戦するとは………許せん

このォ～ど素人めが～～～
うわ！ハラに響く！

素人をなめんなよ
歌なんかァ誰でもうたえらァバカヤロ～
金などとるんじゃねえ～～～

カラオケの戦いだ歌で勝負しろ！
望むところだ何百曲でも歌ってやる
この争いは明け方まで続くのであった…

2人とも明け方まで12時間も歌い続けていたそうよ…
先に退散してよかったよ

歌謡教室の先生 入院しちゃったんですって…
気の毒に………

う・おっ・す
あっ

すごい声ですね!
ゴホ
さすがにのどが…痛くて…声が出しにくい!

エクソシストみたいな声ですよ…
あんな事やるんじゃなかった
ゴホ

プロを相手に歌いまくるんだからな
両方とも相討ちってところね

もとはといえばあの歌謡教師が…

そ　そんなに似てるか？やだな！
元々2人とも太い声だし…

文句あるならいつでも来いわしは大原だ
がははは
ひどい！

おもしろい部長の声で寿司をとってタダで食べよう！
わははは

うっ！ゴホ！ゴホ！
ゴホ
ゴホ

悪い事するからですよ
うるさいやかましい…
ゴホ
ゴホ
ゲホ
ゴホ

まままた声が変化した!!
え!?なんだと!?

署長の声よ…今の！
ほんとにそっくりだ…

不思議ね一体どうなっているの？
わしは知らん！

くるしくてのどを……
こういう風に押さえて…こう
キュッ

うおっゴホ
ゴロ
くるしい
なんて事を！
ゴロ
ゴロ

声帯が変化可能なのは、がんじょうな鉄人の両さんのみです！決して マネはしないで下さい。

例えばこうすると……
グエッ
あっ
うおっくるしい
ゴボゴボ
ゴボゴボ
ゲホ
命かけてやる事ないでしょう
ほら！この声！
あっ
その声は
ひょっとしてぼくの声じゃ…
もうちょっと高ければそっくり！
半音上げるか…
あ！
あ！
あ！
クイクイ
これでどうだ
カンペキだわ！
そんなに似てる!?
どうしてそんな声帯になっちゃったのかしら…
大声出しすぎたのが原因かな…
突然変異でしょうね！
圭ちゃんが2人で話してるみたい…
2枚目の声のままでいようかな！

おはよう!
あ 部長 おはようございます
やばい!

ん! 両津
どうかしたのか?

さきほど署から電話が
おっ そうか

中川の声だからばれてしまう
部長をひとつからかってやろう

確か 署長の声は…
フォークボールのような手の形で…
うげっ ごほ
たぶん これでOKのはず

わしが出る!

もしもし!
大原くんかね
あっ署長ですか!
さきほど電話されたそうで…
部下の両津君をいじめてるそうじゃないか! 実にけしからんぞ
えっそんな!
両津君は実に優秀な警官だ
次期署長にしたいほどだ!
でもあいつはバカですよ!
バカとはなんだ! きさま
お前などクビだ!! クビ!!
クビと言われても…
クビがいやなら10万円用意しろ
それを両津君にあげて
うっ
ゴホ!!
ゴホ!
10万円あげなさい
用事を思い出した! ガチャ!
署長声が変に…
なんだかいつもの署長らしくなかったな
あの部長…
ガチャ
多分先輩だと思います
なに!!

しかし
声が…
ゴホン
ゴホ

おまえの
しわざか？
グイ
いや
私は別に
何も…
うわ！
ガン

女みたいな
声になって
いるぞ
七つの声を
持つ男に
なったん
です!!

中川だな
ばらしたのは！
すごい
声！

ようし
見てろ！
ピッ
ピッ

はい
中川証券
会長室です
が…
コチ
コチ
あっ
まさか！

中川圭一だ！
補塡がばれた
金をひとまず
両津さんの口座に
振り込め！
あっ
中川と
同じ声
だ…
何て事
言うん
ですか
今のはすべて
うそだ！
うそじゃない
査察が入る
前に早く
振り込め！
確かに
2人とも
おぼっちゃま
の声だが…
しかし
初めの
おぼっちゃま
は江戸弁で
品もない気が
……
くそ！
とりあえず
逃げる
あっ
部長の声も
出せるん
ですよ
先輩は
なに
！
ほっといたら
どんな悪事を
はたらくか
わかりません
大変だ
すぐ
捕えろ
警棒で
なぐりつける事
ないでしょう
中川の声で
しゃべるな！
気味悪い！
自分の声にしろ
！

ちぇ わかりましたよ
これでいいですか!
コキ
全然違うぞ……
えっ そんなバカな?!!
いや こうかな?
確かこうじゃ………
元に戻れない…
すみません 道を…
はい! なんですか!
ぷっ
すみません!
元の声は下品だから 菊池桃子の声にしてあるんだ… アンバランスで不気味だけど…
部長! 本当の私の声教えて下さいよ! これ絶対私の声じゃないでしょう!?
今言ってるのが両津の声だ!
本庁で声帯モンタージュに協力してほしいと言ってたぞ! よかったな役に立って!
気持ち悪い…

★週刊少年ジャンプ1991年45号

浅草七ッ星物語の巻

こんな場所に遊園地があったんですか
花やしき
HANAYASHIKI
高級洋服 そのべ商店
洋服は そのべ

花やしきといってな浅草っ子の昔からの遊び場だ
ガタッ
FUNKY DUCK
ちいさくてかわいい遊園地ね

せっかく仕事で浅草にきたんだちょっと休んでいこう!

子供の頃ここで遊んだんですか?
思い出の宝庫だよこのあたりは

花やしき
菊人形
大菊花
花屋敷の歴史は古く
寛永6年（一八五三年）に
植物園として開園し
珍しい鳥や猛獣なども
飼われていた。「花屋敷」の
名はここからつけられる。
戦後現在の遊園地になる。

浅草七ツ星物語の巻

菊人形
花やしき
大菊花

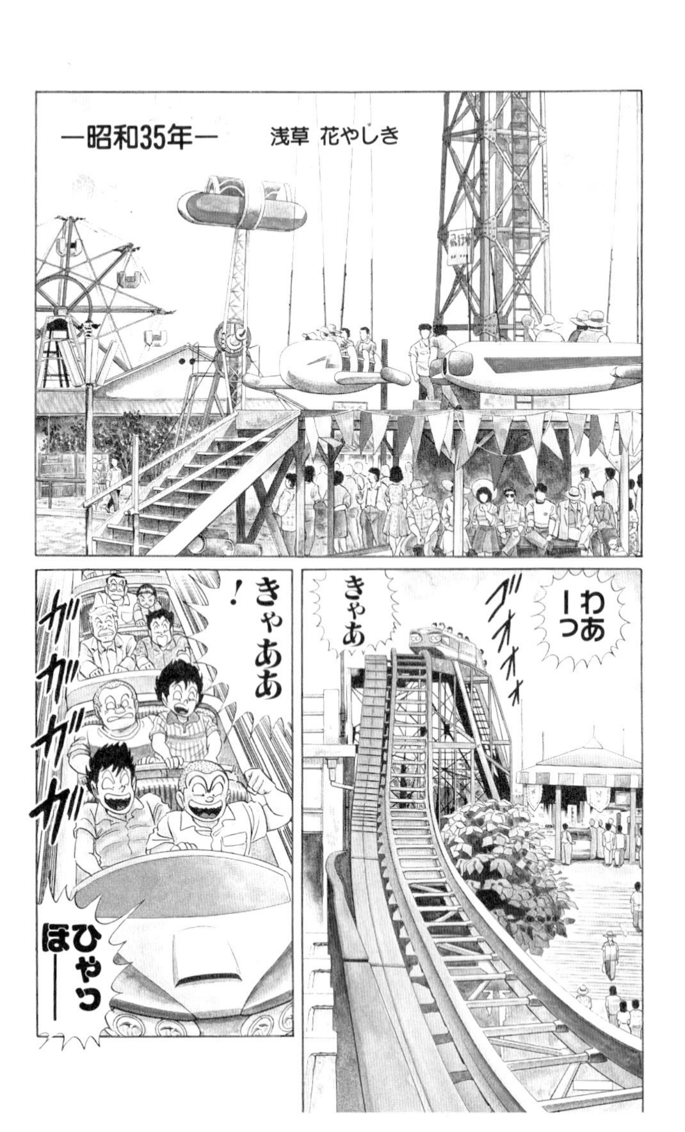
浅草 花やしき
—昭和35年—
わあーっ
ゴオオオオ
きゃあ
きゃあああ!
ガガガガ
ひやっほ——

やっぱ！コースターはスリルがあって面白いな
今度はスピットファイヤーに乗ろう！
ようし乗ろう！
スリル！のりば
つり ぼり
もっといろんなの乗ろうぜ！
あっ!!
またあの子きてるぞ！
ビックリハウス
ほんとだ！

六区で興行してる
一座の役者だって
噂だぞ!
本当かよ
かっこいい
な!

…………

パ

なん度
教えたら
わかるんだ!
そんな事じゃ
とても舞台に
上がらせる
事はできん!

座長!
そんな厳しく
しなくても…
口出しは
するな!

ダッ
あっ
お嬢!

チーズ
バター
子供ユメの国へ
浅草花やしき

ねえ君！

もしかして
君役者さん？
ドキ
ドキ
え…ええ！
雪印 チーズ

あっ 手に持ってるのは台本!?
えっ!?
剣劇 渡り鳥剣士
そうですけど…
ちょっと見せてくれない
渡り鳥剣士

すげーっ本物だ！見ろよ！
字がギッシリ書いてある
覚えるの大変そうだな！

かけた情けが仇となる場合もあるんだぜ！
クス
渡り鳥剣士

ごめんなさいつい！
そんなに変かな？
ヘタだよヘタ！

そうだ！手本を見せてよ！
お願いします！
かけた情けが仇…となる
場合もあるんだぜ！
すげーっ全然違う！
やっぱり本物だよ！
うーむさすが上手だな
すごいね！君
もっとやってよ！
このセリフも！
彼女の名は橘琴音ちゃん 丁度僕らと同い年くらい 僕らはすぐ仲良しになった
初めて会った時は芝居の事で悩んでいた琴音ちゃんもだんだん元気になり
4人で台本の稽古や立ち回りの練習などをするようになった
私はね！日本一のスターになって一座で日本中を回るのが夢なのよ
すごい！
雪印
チーズ
ビタミルク
ライオンバタ

絶対琴音ちゃんならできるよ！
絶対実現するわ
豚平くんや珍吉くんは今日はこないの？
2人は学校に残されて勉強してるんだよ
雪印バター
琴音ちゃんは僕のタイプだし…台本の練習してた方が楽しいからね
おれだけ学校ぬけてきたんだよ実は！
ははは
私も勘吉くん好きよ！

ままま参ったなぁ!!
す好きだなんて!!もう！
わははははは
ライオンバターボール
雪印バター
コナミルク
チーズ
ガタ
ガタ
ガタ
こら！暴れると危ないぞ！
僕達は毎日の様に会って稽古の合間夢などを語り合った
あの2人本気みたいだぞ！
俺達だんだん邪魔者にされてきたな

僕は舞台を見に行くたび
琴音ちゃんが だんだんと
磨かれていくのを感じていた

琴音のやつ
自信が
現れてきたな
いい友達も
できた様だし…
よかったですね

当時の浅草は浅草寺も完成し、雷門も復活、
十二階(仁丹塔)が再建、地上八階の大娯楽
センター新世界の完成など活気に満ちていた
(浅草寺)
(雷門)
雷門
(新世界)
そこに花屋敷も名乗りを上げた

すごい
花屋敷に
これが
できる
のか!!
人工衛星塔
都内最高の高さ
東京一望!!
6個の衛星が空中を回る
50メートル
33メートル
花やしき
高さ50
メートル
だって!

東京が一望できる
んですって
素敵ね!
完成したら
絶対
一番初めに
乗ろうよ!
人工衛

あの
お星様が
ついてるのが
いいわ!
えっ

人工衛星はもうできてるのかなぁ
ちょっと入ってみよう

星はスターだから琴音ちゃんにぴったりだ
よし！これに予約した！決まりね！

こっそり予約のサインしておこう
えっ

ここなら誰も気付かないよ！
かんき

じゃあ私も
大丈夫今のうち早く

っあ――
琴音
かんきち

うふっ相々傘にしちゃった
いやぁ～
まま参ったなぁ～
カーン
カーン
カーン
カーン
人に見られたら照れちゃうな!!オレ！

こら！中に入るんじゃない
やばい逃げろ！
あの 星の人工衛星もう予約だね
ははははは
乗るのが楽しみだわ！

ところが事態は 大きく変わってしまった

おそいな琴音ちゃん
どうしたのかな？
はとのえさ

贈
橘伝衛門君江
大黒家 丸山
橘伝衛門君江
不動産 岩崎
花の金沢 山本

今日で終了ですって
橘伝衛門公演
あと一か月は公演が続く予定なのに！

劇場の方へ行ってみよう

小屋主さんに終了と言われた以上 従わなければならんのだ!
お前もこの世界の人間だから その事情はわかってるだろ!
せっかく 琴音の演技もよくなってきたのにかわいそうだけど
これはばかりはしかたないのよ
早く荷物をまとめなさい
相手が慶重文治一座じゃかなわないやね!
ガタッ
急にケガが回復して公演が決まるなんてまったく!
琴音お嬢がかわいそうだ友達もせっかくできたのに!

そ
そんな
……
勘吉くん!
琴音ちゃん…
聞いていたのね……
全部

いつもこうなのよ…
一座(うち)は……
せっかくお友達になれたのに

もう旅回りなんかいや……
ここを離れたくない!

しょ
しょうがないよ
琴音ちゃん!
スターになる為には日本中を回らないと!

こ こんな事に負けてちゃり 立派なスターになれないよ
が…頑張らないとね……
あ 明日早いんでしょか 必ず見送りに来るから…
じゃ…また明日

どどどどど
なんで行っちゃうんだよ
せっかく友達になれたのに〜〜〜〜
ドドドドド
ちくしょう!!
ドドドドド
ちくしょう!

うわっ
ダダダズ

ガツ

いて〜〜〜
あっ

こんな台本なんか もう必要ないよ
くそ!

人工衛

絶対一緒に乗ろうね
楽しみだわ

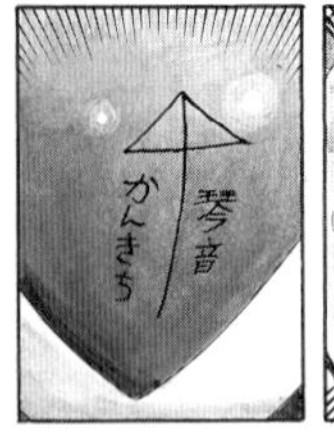
琴音
かんきち

うおお〜っ

うぬぬぬ
うおお
グ
グ

グラ

ゴロ
うおおお
うおおっ
ゴロ
ゴロ

うぬぬぬ…

ゴロ…
うおおっ
ぼうず
こんな物
どうする気だ

ギラッ

ひっ
うおおおお
ゴロ

目が
殺気立って
いた……
うおおおお
ゴロ
ゴロ
すごい
馬鹿力だ
……

今日中に
京都まで
行かんとな
いそごう!
……
……
……

琴音
出発
するぞ
えっ
はい…

琴音
ちゃん

勘吉くん
どうしたの
そんなに
汚れて…

行く途中
寄ってほしい所が
あるんだけど……

………
………

キイッ

あっ

あの人工衛星が!!
そおっとおろせ!
重いから気を付けろ!
グイ
この上なら東京中が見えるよ
ズシッ

いつか一番初めに一緒に乗ろうと約束したじゃない

覚えていてくれたの……

心配ないよ ちゃんとかりてきたんだ。この人工衛星! ほんとに!

さあ乗って! 案内するから!

正面に見えるのが隅田川でございます
でかい建物が松屋デパートです

向こうには浅草公園が広がってます
衛星はだんだんと降りて…

何か……悪い事言ったかな?
ううん違うの
私の為にここまでしてくれるなんて……

わたし…わたし絶対忘れない!
この浅草も勘吉くんも……

琴音ちゃん…

絶対日本一のスターになるんだよ！
ずっと応援してるからね！琴音ちゃん
…………
どうもありがとう
スッ
さよなら！
琴音ちゃーーん
頑張って！
舞台を楽しみにしてるからね！
ドドドドド
勘吉くん…
ドドドド…
行っちゃったか……
喜んでくれてよかったな

人工衛星をビルから降ろすぞ
グイ
ロープをもっとかけよう

中からもロープをかけるぞ
もっと端によせて!

あっ
グラ

うわっ!

ドカ

うわっ!
目が回る!

ズドドドド
ひえええええ

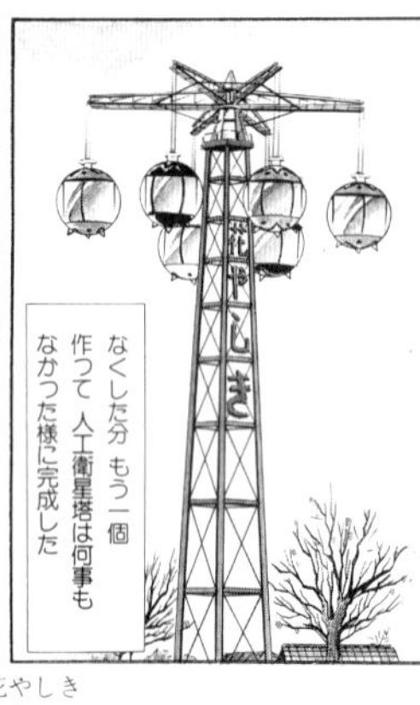

※写真資料提供・協力：浅草花やしき
ご協力ありがとうございました。

こちら葛飾区亀有公園前派出所②(完)

★週刊少年ジャンプ1991年42号

解説エッセイ「大人のマンガ」

大沢在昌

私は「マンガの好きな」小説家、ということになっている。もう少し格好をつけると、「マンガを理解する」あるいは「マンガにうるさい」という意味でもあるらしい。

が、一九五六年生まれの私にとって、マンガが理解できないというのは、むしろ少数に属する人間で、「変わり者」と思われてもしかたがない面すらある。ものごころついたときには、すでに「少年サンデー」や「少年マガジン」が存在したし、この「こちら葛飾区亀有公園前派出所」が連載されている「少年ジャンプ」のはなばなしい台頭を支えたのは、私たちの世代であった。

たまたま小説家というだけで、「マンガが好きですよ」というと、人は「へー」と驚いた顔をする。ただ好きなだけでなく、仲間とマンガの原作もやっている。

小説より、はるかに身近な表現方法がマンガ、という世代なのである。

正直いって、毎月送られてくる「小説○○」という月刊小説誌よりも、週刊マンガ誌の方をはるかに愛読している。

ただ、それらの週刊マンガ誌を隅から隅まで読んでいるわけでは、もちろんない。読む作品もあれば、読まない作品もある。特に三十歳を過ぎてからは、絵柄に好き嫌いが激しくなり、嫌いな（というよりはぴんとこない）タッチの描線で書かれたマンガは、おもしろいかもしれないと思いながらも、どうしてもとばしてしまうようになった。

これは困ったことなのだが、マンガを読むのが、仕事ではなく、楽しみでもあるのだから、まあ無理することもないか、と考えている。

特に少年誌の場合、描線のタッチには、それぞれの雑誌の傾向もあったり、また大雑把な意味での「流行」があって、毎号必ず読む、という作品は少なくなっている。

と、こう書くと、

「ああ、ここでこの筆者は、『その点、こち亀は、今でも安心して読みつづけられる作品だ』とふってくる気だな」と

お考えになる方もあるだろう。

ある意味ではその通りだ。だがそれでは解説にならない。

そこで無謀にも、この、こち亀の安定感を何が作りだしているのかを考察してみようと思う。無謀だし、大げさだな、これは。大げさというのは誤解がないように書くと、私ごときが考察するという言葉を使うのが、大げさだ、ということだ。
マンガの評論という分野は、正直いって、まだまだ未成熟である。「売れない」が「良質」といわれる作品に対しては、よく、評論のスポットがあてられるが、本作品のような「売れている」作品に関しては、良、不良の関係なく、評論のスポットが当てられないことが多い。
これだけの部数を発行し、日本の全出版物における比重が最も重いメディアに対して、それではあまりに寂しい。マンガが、批評の対象ではなく、おもしろいかおもしろくないかだけの大量消費物であって何が悪い、という意見もあるだろう。それはそれで理解できなくはない。ただ、その考え方は消費者にのみ許されるものだ。
発行者、製作者は、メディアに対する責任がある。マンガ評論は、もっと商業ベースにのるべきである、と私は思っている。マンガ評論そのものを扱うページを、出版社は増やすべきなのだ。
話が脱線した。こち亀に戻す。安定の理由だ。
まず舞台と登場人物がはっきり限定されていること。時代はおおむね現代であり、舞台となる土地も、作家のつくりだしたビルなどの構造物以外は、現実に存在している。そして派出所のレギュラーメンバー、ならびに準レギュラー（私はあの、四年に一度でてくる寝てばかりいる巡査がひどく好きだ）の顔ぶれに移動が少ない点が挙げられる。

次に、ストーリー性を強いて追及しないこと。これだけ現実的な舞台と登場人物なら、ストーリー性を追及すると、妙に重くなったり、くさいヒューマニズムに流れがちである。それを排しているのが成功の理由だ。

マンネリズムの逆消化。週刊でこの本数だ。当然、レギュラーメンバーだけでは保たなくなるときもある。突拍子もないゲストを登場させドタバタを演ずるというのも、それ自体がすでにマンネリ化した構図である。にもかかわらず、作家はそれを逆手にとる力量を備えている。

そして、ひきだしの多さだ。おそらくこの点で、秋本治氏をしのぐ少年マンガの描き手はいないだろう。オモチャ・車・その他もろもろのメカニズムへの精通が、この作品を、かつてない少年マンガの成功作へと導いている。いいかえればそれは、作家が「大人」であることの証明でもある。

少年マンガの描き手が少年の心をもっているのは、ある意味では必要条件である。が、少年そのもの、未成熟な子供であることも少なくない。それが悪いとまでは思わないが、「子供の作品」はやはり、どこまでも「子供の作品」に過ぎない。読者はやがて、「子供」から「大人」になる。そのとき、「子供の作品」から離れていくのは必然だろう。正直いって、マンガ出版界の現状では、読者に去られた「子供の作家」に対する出版社側の対応は、冷酷である。

書いている間は、「子供のままでいる」ことを望みながら、読者に飽きられた瞬間に、「勝手に大人になれよ」といった態度で接する編集者が少なくない。あるいは、編集者が大人なのだから、作家は子供のままでいいのだ、とするマンガ家の甘えも目につく。

マンガ家の面倒を一生見てくれる編集者などいはしないのだという現実を、互いに見ないふりをしているように思えてならない。

そういう点で、秋本氏の作品は、作者が成熟した大人であると感じさせてくれる。この作家の将来、といったものに不安はない。

たぶん、そのことこそが、私が安心してこち亀を読める最大の理由なのだろう。

成熟した大人によって描かれた、少年の心を失わない世界がここにある。それは、商業出版における少年マンガの、最も成功した一例である。

掲載作品は集英社より刊行されたジャンプ・コミックス『こちら葛飾区亀有公園前派出所』第75巻（1992年6月）第76巻（同8月）第77巻（同10月）の中から、著者自らが精選して収録したものです。

椎名軽穂　恋愛女子短編集Ⅲ
ロケット・ポケット

椎名軽穂

誰かを好き、という自分の気持ちにはっきり気づいた時――。そんな瞬間を思い出させてくれるような短編読み切り4作品を収録です。

コミック文庫HP
http://comic-bunko.shueisha.co.jp/

集英社文庫(コミック版)

こちら葛飾区亀有公園前派出所 2

1995年8月23日 第1刷
2017年3月7日 第28刷

定価はカバーに表示してあります。

著者 秋本治

発行者 鈴木晴彦

発行所 株式会社 集英社
東京都千代田区一ツ橋2－5－10
〒101-8050

電話 【編集部】03(3230)6251
【読者係】03(3230)6080
【販売部】03(3230)6393(書店専用)

印刷 図書印刷株式会社

ISBN4-08-617102-3 C0179